世界最高峰の研究者たちが予測する未来

山本康正

SB新書
629

ここは2030年4月1日、
テクノロジーによる大変革後の
私たちの未来

はじめに

2030年、テクノロジーで世界はこう変わる

国内外問わず、グローバルな超一流といわれる企業の本社が集まる、東京駅周辺。その一角、八重洲に拠点を構える日系メーカーが、大沢賢太さんの勤め先です。

大沢さんの年齢は28歳。大学卒業後、新卒でこのメーカーに入社しました。大学での専攻は文系でしたが、ものづくりに興味があったこと、データサイエンスやプログラミングなど、文系でも理系的な学びをする機会が増えたこともあり、入社を決めました。

この会社は、工場で稼働するような大型の設備機器を開発・製造しているメーカーで、社歴は100年以上。いわゆる、伝統的な日本の大企業です。大沢さんは、当初は営業や生産管理などの業務を担当していましたが、現在は社長直属の経営企画室に籍を置き、日々新しい製品のアイデアを考えています。

一見すると順風満帆なキャリアに見えますが、本人はいろいろと悩んでいるようです。というのも、時代は今（2023年）から7年先の2030年。仕事の進め方、組織の在り方、個人の生き方など、大沢さんが若いころにイメージしていた将来とは、大きく変化したからです。

新しいテクノロジーが世の中に浸透したことで、これまでのルールや働き方、さらには日々の生活ががらりと変わってしまいました。

2023年ごろから急速に広まった生成AI（ジェネレーティブAI。以下、生成AI）ブームは、その後さらに拡大し、当時世間を賑わしたChatGPTはGPT-10にまでバージョンアップ。自然言語、画像、音声に加えて、動画の入力、解析も担えるようになり、世界中の利用者は約40億人にまで伸びています。

ビジネス、生活、教育などあらゆる領域に生成AIが浸透。いま、大沢さんが携わっているプロジェクトも、従来の設備にAI・ソフトウェアを実装し、熟練の技術者でなくても、誰もが簡単・便利に稼働できる。そのような次世代設備の企画です。

アイデア出しの方法も、2030年の世界ではがらりと変わりました。ChatGPT-10に、自分のアイデアを投げるところから始まるのです。筐体《きょうたい》（電気機器や機械を内蔵する箱のこと。身近な事例では、スマートフォンやパソコンのケース、自動車や飛行機の外板なども含まれる）やＵＩ（ユーザーインターフェース。以下、ＵＩ）のデザインなども、同じく簡単なラフの原案を作成し生成ＡＩに投げれば、それなりのアイデアとなって返ってきます。

プレゼンで使用する資料づくりも、生成ＡＩが支援しています。何となくのイメージをPowerPointに備わった生成ＡＩに伝えれば、それなりの資料ができあがるのです。

マイクロソフトのCopilot《コパイロット》という機能で、２０３０年の未来ではPowerPointだけでなく、Word、Excel、さらには同じくマイクロソフトの検索ツールBing《ビング》、パソコン用のＯＳウィンドウズなどにも搭載。その結果、検索領域で絶対的王者であったグーグルの仕事場面での利用は一時減り、ビジネスモデルの再考を迫られています。

社内業務だけでなく、採用のスクリーニングや面接なども生成ＡＩが使われるようになりました。

特にチャットやメールといったテキストベースや、ビデオチャットでの感情、音声の抑揚も含めたコミュニケーションのやり取りでは、生成ＡＩが大きく進化しました。コミュニケーション能力の評価や、専門性の基礎的な確認は人と変わらないレベルであるため、採用担当者の業務は、面接を通過した人物が本人かどうか、ＡＩが評価したとおりかを確認することが主に変わりました。

大沢さんの悩みのひとつは、文系卒のためテクノロジーにそれほど強くないことです。特に、２０３０年の世界ではビジネスパーソンに必須とされている、コンピューターサイエンスが苦手でした。

しかし、ここでも皮肉なことにテクノロジーが解決してくれます。リスキリングで学ぶ機会やサービスが、広まっているからです。大沢さんはいくつかリスキリングを受けていますが、大きくはテクノロジー軸、ビジネス軸に分かれます。そしてそのどちらの軸でも、テクノロジーの恩恵を受けています。

大沢さんは当初、社内の教育制度でコンピューターサイエンスを学ぼうとしていました。ですが、大沢さんの勤める会社は日系メーカーであるため、未だにハードウェアが絶対といった価値観を持つ人が大勢います。

しかも、上にいけばいくほどその傾向が強く、最新のコンピューターサイエンスについて学びたくても、社内ではその場が整備されていませんでした。そこで同領域に詳しい理系の同期、小谷くんに聞いてみると、ハーバード大学やスタンフォード大学のオンライン授業を受けていることを知ります。

２０３０年の世界ではリスキリングに限らず、教育のシステムも大きく変わりました。小中高といった区分や大学受験資格が改編され、海外への進学や海外からの進学がしやすくなりました。小学校入学と同時に自分が学びたい、興味ある領域やテーマを存分に学べるようになったのです。すべての分野を網羅的に学ぶのが主流だった教育から変化し、もし得意な科目が見つかれば、他の時間をその科目に充てることで、海外のギフテッド（才能がある人向け）教育と同等に強みを伸ばせる環境に進化しました。

また、先生はその学校の教師に限りません。ユニクロの柳井正氏が寄付をしたことによって実現した、スタンフォード大学が提供するe-Japanプログラムのように、世界中に点在する各領域の専門家に教わることができるシステムが構築されたからです。しかも、教師と生徒のデータを解析することで、自分と相性のよい先生をマッチングしてくれます。そしてそれも、ＡＩが担っています。

大沢さんは小谷くんからの情報を参考に、マッチングサービスを使って、どの先生にどのようなプログラムを受講すればよいかを尋ねました。返ってきた答えは、スタンフォード大学の著名なコンピューターサイエンスの教授。しかも媒体はYouTube。なんと、無料で受けられることになりました。

ビジネス領域に関しては、ＡＩ先生から教わっています。名前は「稲盛和夫ＡＩ」。稀代の実業家である稲盛和夫氏が生前、自身の私塾・盛和塾などで経営者やビジネスパーソンに説いていた内容を、生成ＡＩが学習。

生前の稲盛氏の画像も組み合わせることで、本人のようなアバターを生成。ケーススタディを導いてもらうこともできますし、ビジネスでの悩みなどを質問すると、まるで本物の稲盛氏が身振り手振りで教えてくれます。同様のサービスは、マイクロソフトを立て直したサティア・ナデラ氏のものもあり、ＡＩによる翻訳技術が進化したからこそ、日本語でも海外の知見を取り込みやすくなりました。

新居はグーグルImmersive viewで探した「アマゾンハウス」

大沢さんの住まいは、港区・芝浦の高層マンションです。以前は別の場所に住んでいましたが、パートナーとの結婚も考え、引っ越しました。物件探しで活躍したのが、2023年にグーグルがサービスの提供を開始した、Google Mapの「Immersive view《イマーシブ・ビュー》」という機能です。

パートナーの桃乃さんは関西で暮らしているため、なかなか2人で一緒に物件を見にいくことができずにいました。でもImmersive viewを使えば、実際にその地に行かなくても、気に入った街の好きな時間帯の表情や環境を、詳しく知ることができます。

芝浦エリアに決めた後も、物件の内外観の詳細を見ることのできる、アメリカ発のスマホアプリ、Zillow《ジロー》（以下、ジロー）を活用。予算と好みの内装デザインを伝えると、瞬時に候補の物件が表示され、その中の1つがいま住んでいるマイホームとなりました。

マイホームの別名は「アマゾンハウス」。アマゾンのアカウントと連携している、2023年の呼び方で言えば、いわゆるスマートハウスです。

家電は大抵、アマゾン製や提携パートナーのものが標準で装備されています。標準設備以外はアプリから注文ができます。そのため、引っ越し初日にアマゾンハウスに「ログイン」したときから、ガス、水道、電気、インターネット、郵便転送、住民票、保険などすべての手続きが完了し、大沢さん、桃乃さんがアマゾンのクラウドで登録していたお気に入りの音楽や動画、画像が流れ、2人とも最初から家に帰ってきたような感覚になります。

ここでもテクノロジーが介在しています。お気に入りの音楽や画像は、有名アーティストの作品ではなく、生成AIが作ったものだからです。

コンテンツだけではありません。空調、照明なども、アマゾンのアカウントが2人の好みを記憶しているため、2人は特に何もすることはありません。調理においても、GPT-10を備えたアマゾン冷蔵庫が、保存されている食材と2人の好み、今日の体調などを考慮し、最適な献立を提案してくれます。単純な作業であれば、小型ロボットが調理を手伝ってくれます。

ちなみに、今夜のメインは大豆ミートのステーキ。焼き加減も、キッチンの上部に備えつけられたAIカメラがフライパンや肉の温度を正確に計測。火加減はもちろん自動ですし、お肉をひっくり返すタイミングも、「ひっくり返してください」と音声AIが知らせてくれます。

食事を終えた2人は、ソファでゆっくりとくつろいでいます。大沢さんはテレビで映画を観て、桃乃さんは本を読んでいます。最近のアカデミー賞、直木賞受賞作品を堪能しているようです。ただ、受賞部門名がどこか違うようです……。

よくよく帯を見ると、「生成ＡＩ部門」との文字が見えます。そう、どちらの作品も生成ＡＩがストーリー、ＣＧ、エキストラの動きや声などを創作しています。ちなみに小説のテイストは、東野圭吾と村上春樹をミックスしたような、時代を超越したミステリー長編。桃乃さんは大のミステリー好きで、読むのはすでに4回目です。

作品に没頭していた2人ですが、しばらくすると急に「ビビー」とアラートが鳴ります。それは、大沢さんが腕に着けているApple Watchから発せられたものでした。モニターを見ると、血圧が高くなっているとの表示が、モニターに映し出されています。

以前から高血圧気味の大沢さんは、すぐに「スマホドクター」というアプリを開き、かかりつけのクリニックと遠隔の問診を開始します。夜の10時を過ぎていましたが、問診の相手は実際の医師ではなく、生成ＡＩによるアバターのため、基礎的なものは24時間いつでも対応してくれます。

医師から処方された、血圧を下げる薬を飲み忘れていたことが原因だと分かり、明日からはしっかりと飲むよう、指導を受けます。ところでなぜ、ＡＩドクターは大沢さんが薬を飲んでいなかったことが、分かったのでしょう。

２０３０年の世界では、多くの薬やケースの中に小型センサーが内蔵され、服用したかどうかを第三者が確認できるようになっているからです。得られたデータは保存されてもいます。

血圧以外にも、心拍数などのあらゆるバイタル、病歴などが、スマホに医療情報として登録されており、こちらもアマゾンハウスのように、どこの医療機関にかかっても瞬時に共有されます。

そのため生年月日はもちろん、病歴や現在の症状など、初診のたびに具合が悪い中で問診票を書くような面倒は、２０３０年の世界では少なくなりました。

桃乃さんは、おじいちゃんの誕生日にApple Watchをプレゼントしました。おじいちゃんは、孫からもらったと嬉しそうに着けていましたが、ある日、Apple Watchのおかげで命拾いします。

散歩の途中で、突然気を失ったのです。しかし、Apple Watchには転倒検出機能が備わっていたため、すぐにＳＯＳ発信がなされ、救急隊がかけつけました。

身元や医療情報は、医療機関の専門家がApple Watchから読み取れるようにしていたため、緊急連絡先に登録されていた家族に連絡が行き、どの検査が必要かも迅速に判断されました。病院に搬送される救急車の中で、ＡＩを活用した画像や健康情報からの診断を行います。

感染症が再び増加傾向になったこともあり、病院は受け入れられるところが限られていました。病院一つひとつに電話で確認していた時代から、どの病院がどの検査機器があり、どの専門性のある医者が在籍し、出勤しているかという、データのもとに受け入れ病院を決定します。

１秒を争う事態の中で、このような自動化は搬送時間を大幅に短縮し、人命を救うことに貢献しています。そこからは生身の医師にバトンタッチ。結局、大事には至りませんでした。

風力発電で得た電力を蓄電船で世界に輸出

今日は週末。大沢さんは趣味の登山に出かけます。週末は大抵、山登りの仲間と朝早くから、ときには泊まりで登りに行くほどの熱中ぶりです。連休のときなどは、関東近郊だけでなく、地方にも足を延ばします。その際に活用しているのが、旅の行き先を紹介してくれる生成ＡＩサービス「GPT Travel advisor」です。

具体的な山の名前は分からずとも、どの程度の熟練者か、どのぐらいの時間で、予算はいくらかなどを入力すると、候補の山や宿、ルートを一瞬で表示してくれます。提案されたのは、知らなかった新しい山でした。行き先は、五島列島。九州百名山にも選ばれている、七ツ岳などを縦走する計画です。

それほど高い山ではないため、桃乃さんも一緒に行くことにしました。現地までは飛行機を利用しましたが、飛行時間は東京から約１時間と、従来の半分で済みました。アメリカの航空ベンチャー、ブーム・スーパーソニックが開発した超音速旅客機「Overture《オーバーチュア》」を利用したからです。

２０３０年の世界では、鉄道、飛行機といった乗り物がさらに進化し、かつ、身近になりました。新幹線はリニアが開通。品川駅の隣である高輪ゲートウェイ駅には、高輪ゲートウェイシティが誕生し、KDDIなどの先駆的な企業や、羽田空港とも連携した、国際性のある教育や文化を取り込んだ街になっています。大沢さんの住む芝浦から名古屋までは、50分ほどで行けるようになりました。

大沢さんの会社にも、リニア新幹線を利用して東海や関西圏から出勤する人が、当たり前になりました。リニア新幹線のおかげで、遠距離恋愛中も2人の仲は良好。会いたいときに、すぐ会える環境が大きいようです。

夢物語だと思われていたスペースXの超高速船、正確には宇宙船（スターシップ）も、2030年の未来ではいよいよ実現に向け、東京湾の沖に発着できるステーションが建設中の状態まで進んでいます。サービスの開始はまだ先になりそうですが、実現すればアメリカと日本を1時間ほどで行き来します。


山頂に到着すると、眼下には五島の海が広がっています。天気が良かったこともあり、視界も抜群。しばらくのんびり休憩していると、海上をスタイリッシュで一風変わった船が往来していることに気づきます。

それは、パワーエックスというエネルギーベンチャーが開発した、電力を輸送することのできる蓄電船（メーカーは「電気運搬船」と呼称）です。桃乃さんは蓄電船を眺めているうちに、海上にはいくつも風力発電設備があることにも気づきました。

蓄電船は、風力発電設備で得た電力を蓄電し輸送する役割を担っており、現在では五島列島に限らず、日本の海岸のあちらこちらで見られるようになりました。

資源のない国と言われていた日本は一転、現在では自国の電力を賄うだけではなく、蓄電船を使ってエネルギーを海外に輸出するまでになりました。蓄電船は各都市の港に停泊しており、災害対策にも貢献しています。

引き続き山頂でのんびりしていると、桃乃さんのスマホにメッセージが来ました。アップルから毎日届く、Daily Cashの通知です。Daily Cashとは、Apple Cardで決済したユーザーへの還元サービスです。日本で言うポイント還元に相当します。

2020年代前半にアメリカなどで始まったアップルの各種金融サービスは、その後、日本にも上陸。数十秒で口座を開設できる利便性、高い金利、Daily Cashのような各種サービスで、若者を中心にあっという間に広まり、日本の金融市場を席巻しました。保険、証券なども同様で、今では多くの関連会社が、アップルの支援的な存在として、かろうじて業務を続けています。

スマホを山頂で使えることも当たり前になりました。イーロン・マスク氏が開発した、衛星を使った無線サービス「スターリンク」のおかげです。山小屋や洋上の探検家はもちろん、有事の際のレスキューなども、以前と比べ僻地でも簡単に連絡がつくようになりました。

コンピューターサイエンスの知識を身につけテックベンチャーに転職

大沢さんのもうひとつの悩みは、このまま今の会社でキャリアを積むのが正しいのかどうか、量りかねていることでした。同期の小谷くんが、転職したことも影響しているようです。

小谷くんはエンジニア職だったこともあり、オープンＡＩのライバル会社である生成ＡＩベンチャーに、新規プロジェクトのリーダーとして迎え入れられました。瞬く間に実力を発揮、現在ではマネージャーポジションとなりました。そして大沢さんに、自分の会社に転職すればと、オファーを出していたのです。

今の会社とは異なり、小谷くんの会社の働き方は、テックベンチャーそのもの。出勤時間も働く場所も、服装も自由。結果さえ出していれば、とやかく言われることはありません。

生成ＡＩに限らず、最新のテクノロジーに精通しているメンバーも多く、小谷くんいわく「仕事なのか遊びなのか分からないぐらい熱中している」。副業も自由で、小谷くんはマイクロソフトのプロジェクトにも携わっており、水を得た魚のように、以前とは打って変わって輝いているように、大沢さんの目には映りました。

また、２０３０年は文系・理系の区別がなくなる年でもあります。いわゆるリベラルアーツ的な、海外では以前から当たり前であった風潮が、ようやく日本でも取り入れられることになったのです。

以前は、数学ができる人は医学部に進学しつつも、その才能を最大限活用できることが少なかったのですが、医学部や法学部はアメリカ同様、大学院に移されました。

その結果、以前にも増して理系職、エンジニアの価値が高まるようにもなっていました。プログラミングを学んだ後に、医学、法律やビジネススクールの大学院に進む学生が増え、医学、法律、ビジネスとソフトウェアの先端をつなぐ人材が増えるようになったからです。

大沢さんは若いころ、数学が嫌いとの理由で理系に進まなかったことを後悔していました。

しかし、いまは懸命にコンピューターサイエンスを学んでいます。自分の将来はもちろん、これから家族となる桃乃さんとの暮らしも考え、働き方を尊重してくれるテックベンチャーに転職しようという気持ちが、徐々に固まっていくのでした。

テクノロジーを学ぶことは、ビジネスの本質を知ること

ここまで私がイメージした未来予測は、いかがだったでしょう。

本書は、私がふだんから接しているテクノロジーを中心とした最新の情報などをベースに、これから特に激しいと予測される6つの領域における変化、未来予測を紹介していく一冊です。

すでに実現しているものも含まれますが、基本的な未来予測はあくまで私が行っていますので、思考の制約を外し想像を膨らますために、中にはあえて実現は相当先と思われるものも入っています。

本書で取り上げる6領域

**最新テクノロジーによって、
特に大きな変化が生じるのはこの６業界！**

エンターテインメント	金融（銀行・保険を含む）	製造
建築・不動産	医療・ヘルスケア	教育

冒頭の、大沢賢太さんの物語は、本書の内容をギュッとまとめたものです。

いま起こっている事象や研究されているテクノロジーが、この先の未来で広まっていくと、どのようにビジネスや私たちの暮らしが変化するのか。業界の構造やゲームチェンジが起こり得るのか。

そのことについて考えてもらいたい。テクノロジーを学ぶことで、ビジネスの変化の本質を知ることになる。このことを伝えたくて、本書を書きました。

本文でも繰り返していますが、現代社会においてテクノロジーにまったく関係のない仕事、ビジネスはあり得ません。

一方で、言葉を選ばずに正直に話せば、経営層はテクノロジーの変化に疎い人が多い。特に日本では、です。

そのため日本は本文でも度々登場する、アップル、アマゾン、グーグルといった海外の黒船的ビッグ・テックの技術やサービスに太刀打ちできていません。私はグーグルで働いていたこともありますし、そのためアメリカと日本の差が、単に外から批判するよりもよく見える立場でもあります。

本当はよくありませんが、現在リーダーのポジションにある方々は、テクノロジーを学ばなくても、なんとかなるかもしれません。下世話な言い方をすれば、これまでの貯金で逃げ切れる可能性もなくはないからです。

一方で、若いビジネスパーソンはそうはいきません。テクノロジーを学ぶことは必須であり、スキルとして身につけていなければ、徐々に淘汰されるでしょう。

テクノロジーと英語、データサイエンスは似ていると思います。私は以前から常々言っていますが、これだけ世界との距離が縮まった昨今、社会で活躍するためには英語やデータサイエンスは必須なスキルです。

テクノロジーを活用すれば、これまで人が20分かけて行っていた業務が、わずか1分でできてしまう。このような状況が、あらゆる業界で起きています。特に、最近注目されている生成ＡＩは、その代表例と言えるでしょう。

テクノロジーに詳しくない、敬遠している方の多くが勘違いしていることでもありますが、テクノロジーは単なる業務効率化の道具ではありません。ビジネスモデルそのものを抜本的に変える、イノベーションに満ちたものだからです。

たとえば、インターネットやiPhoneがいい例です。これらのテクノロジー、デバイスの登場により、これまで通話料金で稼いでいた電話会社は、ビジネスモデルの変革を迫られました。情報の入手経路が、紙からＰＣやスマートフォン（以下、スマホ）などのデジタルデバイスに変わったことで、出版業界は軒並み業績を落としています。

その反面、イノベーションの変化にいち早く気づき、ビジネスモデルを変革、あるいは新たなビジネスを生み出すことで、成功している人たちも大勢います。アマゾンに代表されるＥＣビジネスやクラウドビジネスは、その代表例でしょう。

テクノロジーの本質は、実際に使ってみないと分かりません。そして、メディアや部下のレポートを受動的に待つのではなく、能動的に自分で体験するからこそ、この先どのようなゲームチェンジが起こり得るのか、想像できるのです。

テクノロジーにより、どのような変化がいま、起きているのか。本書で紹介していく内容をきっかけに、できれば実際に、最新のテクノロジーから生まれたサービスを利用していただき、その結果、意識変革を起こしてもらいたい。それが、本書を通じて私が皆さんに伝えたい、実現してもらいたいアクションです。

第2章 金融業界

アップル／スマホによりあらゆるサービスが呑み込まれる

The Future of the Financial Industry

第3章

製造業界

あらゆる領域で次世代テクノロジーが革新をもたらす

The Future of the Manufacturing Industry

Contents

第4章 建築・不動産業界
デジタル・AIによりサービスや業務が最適化される
The Future of the Building & Real Estate Industry

第5章 医療業界

AIによりハード・ソフト両方のサービスやデバイスが進化

The Future of the Medical Industry

第6章 教育業界

画一的な集団教育から個別指導型にシフト

The Future of the Education Industry

第1章

エンターテインメント業界

生成AIによる大変動

エンターテインメント（以下、エンタメ）業界では、ＡＩならびに生成ＡＩによる大変動が起き、業界の様相が大きく変わりつつあります。

具体的なトピックスや変動事例、私がイメージする未来予測を紹介する前に、まずは改めてＡＩならびに生成ＡＩについて、解説します。

ＡＩの研究開発は70年以上前から行われていた

ＡＩとは、Artificial Intelligence《アーティフィシャル・インテリジェンス》の略称で、人工的な知能。具体的には、人間の脳が行う知的作業をコンピューターで行う、ソフトウェアやシステムならびに、これらが搭載されたデバイスを意味します。

ＡＩの概念そのものは１９５０年代から存在していました。注目されるようになったのは、１９５６年の夏に2カ月ほどかけて、アメリカはニューハンプシャー州ハノーバーで行われたダートマス会議です。会議にはアメリカの計算機学者、ダートマス大学のジョン・マッカーシー教授ら10名ほどが参加。

この会議の場で、史上初めて「人工知能」という言葉が使われた、と言われています。

そして現在のブームのように、世間も一気に注目、ＡＩに沸きます。これが、第1次ＡＩブームです。

ただ当時のＡＩは、現在のものとは異なり、プリミティブ（原始的）、初歩的なレベルだったようです。コンピューターによる推論や探索、定理の証明といった特定、シンプルな問題を解く、チェスなどの簡単なゲームの実行ができる程度の能力でした。

現在のＡＩのように、ビジネス課題に活用する用途ではほぼ使えず、コンピューター自体の機能も不十分であったため、実装にたどり着くケースもほとんどなく、次第にブームは縮小していきました。

第1の波から25年ほど経った1980年ごろ、第2のブームが再来します。メインフレーム、スーパーコンピューターと呼ばれる、当時としては高性能な大型のコンピューターやパソコンをＩＢＭなどが開発したことで、これまで難しかった実装が可能になったからです。

その結果、推論など特定の分野においては、ＡＩが専門家のような回答を出すことが可能になりました。

しかし、現在のＡＩと比べるとまだまだ初歩的で、自分で十分に学習するようなロジックは備えていませんでした。

また、データの取り込みにおいても、現在のようにコンピューターが自ら収集するようなレベルではなかったこと、それに加えて先と同じくコンピューター機能の限界もあったため、第２の波も次第に収束していきます。

一方で、同時期には現在のＡＩの基盤技術とも言える、人間の脳の構造であるニューロンを模した「ニューラルネットワーク」「深層学習（ディープラーニング）」の概念や、基本構造が生まれた時代でもありました。

基本構造のひとつである「ネオコグニトロン」を考案したのは、日本人でした。電気通信大学の特別栄誉教授、福島邦彦氏です。

ただ残念なことに、アイデアは素晴らしかったのですが、実装することが難しかった。そのためしばらくの間は、研究対象として進んでいきます。

第2の波から30年近く経った２０００年代の後半、クラウドが登場したことにより、前述の概念やアイデアが実装される時代を迎えます。ハードウェアそのもの、半導体の

これまでに何度か到来したAIブームの歴史

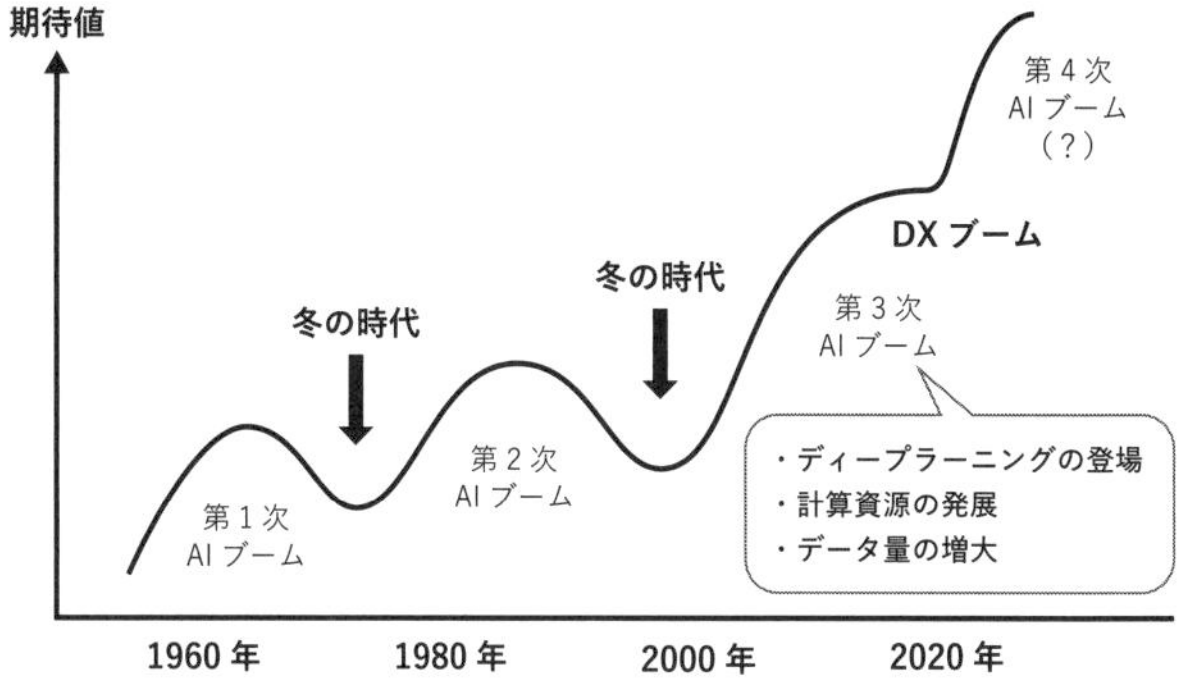

出典：電通報「生成AIの現状とチャット検索の衝撃」（児玉拓也、2023年3月20日公開）をもとにSBクリエイティブ株式会社が作成

処理能力が高まったことも要因でした。

ビッグデータを収集・蓄積することができるようになったため、ディープラーニングが可能になり、ＡＩは自ら学習するようになりました。そして２０１２年、現在のディープラーニング、画像認識技術につながる「AlexNet《アレックスネット》」というＡＩモデルが開発されます。

画像をＡＩに見せ、猫かどうかを判断する能力を調べると、人間とほぼ同等の正解率であったことから、一気に注目されるようになりました。ここから、ニューラルネットワークを使ったディープラーニングＡＩが、画像の判定はもちろん、他の分野にも広まっていきます。

有名なトピックとしては、２０１６年にグーグル傘下のディープマインドが開発した「AlphaGo（アルファ碁）」というＡＩが、プロ棋士に勝ったことなどが挙げられます。以降、現在に至るまで、ＡＩは爆発的に普及しています。

話題の生成ＡＩとは一体なに？

その後は、メタバースやブロックチェーンといった、Web3関連の技術やトピックに、日本は過度に目を奪われていたこともあり、ＡＩは冬の時代というわけではありませんでしたが、やや表舞台から姿を消していた感がありました。しかし裏では、着々と研究が進められていました。

そして２０１７年、いま世間で注目されているChatGPTや、画像生成ＡＩの根幹技術である「Transformer《トランスフォーマー》」というＡＩモデルが登場します。グーグルとカナダのトロント大学が共同で論文を発表しました。

生成ＡＩの考えやモデルは以前からありましたが、「Transformerが登場したことで、一気に生成ＡＩのブームが加速してきたと言えるでしょう。

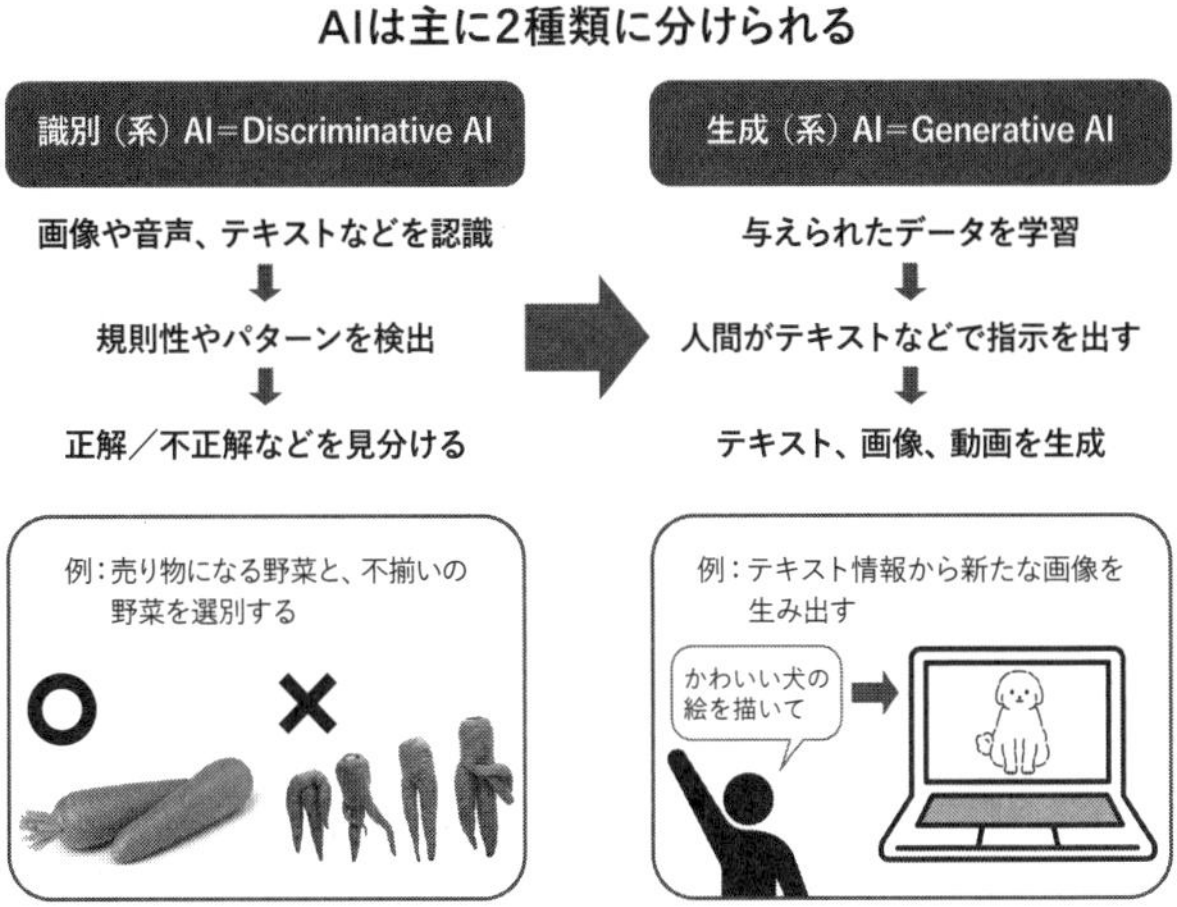
AIは主に2種類に分けられる
識別（系）AI＝Discriminative AI
画像や音声、テキストなどを認識
規則性やパターンを検出
正解／不正解などを見分ける
例：売り物になる野菜と、不揃いの野菜を選別する
生成（系）AI＝Generative AI
与えられたデータを学習
人間がテキストなどで指示を出す
テキスト、画像、動画を生成
例：テキスト情報から新たな画像を生み出す
かわいい犬の絵を描いて

ここで改めて、生成ＡＩについて、従来のＡＩとの違いも含めて説明します。

これまでのＡＩは画像や音声、テキストなどを認識して規則性を検出し、〝識別〟するものでした。先ほども紹介したとおり、目の前に出された画像が猫なのかどうか、といった判断です。決められたデータベースから回答を判断する、「パターン認識」とも言える技術になります。

一方で、生成ＡＩはその名のとおり、ビッグデータを元に、単に識別やパターン認識するのではなく、与えられたデータから〝学習〟し、ＡＩ自ら新たな画像やテキストを生み出します。
これまでのＡＩを「識別ＡＩ」「パターン認識ＡＩ」で区別すると、分かりやすいと思います。つまり、何らかのインプットをすると、テキストや画像といったコンテンツを生み出してくれる。それが、英語でGenerative AIと呼ばれている所以《ゆえん》でもあります。

Transformerの技術的な内容はかなり専門的になるため、本書では割愛します。より深く知りたい方は、**先述の開発者たちが「Attention Is All You Need」**[*1]**というタイトルの論文**で、アーキテクチャなどの概念図も含め、詳しく紹介されていますので、一度読んでみるといいでしょう。

簡単に説明すると、Transformerはより〝汎用的〟に使えるＡＩモデルである、という点が特徴でありポイントです。

これまでのように画像の判別だけを行ったり、囲碁の対決で勝つなど、特定の業務に特化したＡＩだけではなく、Transformerを使えば、さまざまなシーンで学習者がＡＩを使え、ＡＩによるコンテンツも生み出すことが可能です。

ＡＩは大きく3つの領域に分類されます。「自然言語(人がふだん使っている言語)」「画像」「音声」です。そしてこの3領域で、それぞれ生成ＡＩが進化を遂げています。

・自然言語

自然言語分野の進化や変動は、もはや説明するまでもないでしょう。テキストを入力すると、本物の人間のように返信してくれるChatGPTが広く社会に浸透したからです。

２０２２年の11月に公開されたChatGPTは、わずか５日でユーザー数１００万人を、２カ月後には1億人を突破するほど、スピーディーに広まりました。読者の中でも、使ったことがある方は多いのではないでしょうか。

ChatGPTはオープンＡＩというベンチャー組織が開発したＡＩモデルであり、もともとは２０１８年に発表したＧＰＴの進化バージョンです。ＧＰＴとは「Generative Pre-trained Transformer」の頭文字を取った言葉で、まさにTransformerがベースとなっています。

ＧＰＴは、これまでのＡＩと同じく膨大なビッグデータを学習しますが、文章作成、翻訳、質問応答といった業務に特化していることが特徴です。２・０、３・０とバージョンアップするにつれ性能を高め、GPT-3.5とも呼ばれる形を使い、ChatGPTで大ブレーク、現在に至ります。

筆者がStable Diffusionにより生成した画像

出典：Stable Diffusionによる出力

・画像

画像生成においては、ドイツのミュンヘン大学の研究チームが開発した「Text-to-Image（文字列から画像）」モデルを使った「Stable Diffusion《ステイブル・ディフュージョン》」という画像生成ＡＩが有名です。

Stability AIという会社が２０２２年にサービスを発表していますが、ChatGPTと同様、技術的にはTransformerが使われていて、使い方も近いです。プロンプトと呼ばれる入力コマンドに、テキストを打ち込むと、テキストに準じた画像が生成されます。

たとえば、「宇宙飛行士が草刈りをしている」といったテキストを入力すると、上のような画像が数秒で生成されます。

こちらの画像は何とも微妙な精度ですが、入力するプロンプトを適正化していくことで、より望んだ通りの、あるいはユーザーが想像もしえなかった、ハイクオリティな画像が生成されます。そのため、大企業がＣＭのＣＧとして利用する動きもすでにあります。

なお入力コマンドを調整、適正化することを「プロンプトエンジニアリング」と言い、生成ＡＩの盛り上がりと並行してビジネスチャンスにつながることから、コンサルティングファームなどがサービスの提供を始めています。

ＧＰＴにおいては、これまで入力はテキストに限られていましたが、２０２３年の３月に発表されたバージョン４・０からは、画像も入力できるようになりました。

その結果、たとえば冷蔵庫の画像を入力して、「冷蔵庫に入っている食品ならびに、それらの食品から作ることのできる料理を教えて」といったテキストを入力すれば、GPT-4が的確な答えを返してくれます。

生成ＡＩは特徴である汎用性の高さから、ＧＰＴのように言語と画像の境界線がなくなっていくのも、今後のさらなる変化であり、トレンドであると言えるでしょう。このようなさまざまな分野で使える汎用性の高いＡＩは、マルチモーダルＡＩ（画像と文字のように異なる種類のデータを扱えるＡＩ。対義語はシングルモーダルＡＩ）と呼ばれています。

ユーザー側としては、１つのアカウントやサービスで多くのＡＩが利用できますから、喜ぶべき変化かもしれません。

しかし企業側の立場で考えると、独り勝ちの状況になりえる懸念があることは、今後生成ＡＩの動きを注視する上でも、押さえておくべきポイントです。

なおStable Diffusion、ChatGPTはどちらも無料である程度使えるので、興味がある人は利用してみるといいでしょう。

・音声

著名人や有名人の音声データをＡＩに学習させる。ユーザーが、テキストもしくは自分の声で入力すると、ＡＩがあたかも特定の人物のように話す。音声における、このような生成ＡＩサービスも存在します。

すでに多くのサービスが生まれており、プロのアナウンサーに話してもらうといったきちんとしたビジネスがある一方で、いわゆるディープフェイク的な利用もあると、懸念されています。

生成ＡＩで偽造した有名人・著名人の発言をＳＮＳで発信することで、社会の混乱を招くような事例です。選挙前や災害、テロ、戦争のような混乱が起きやすい時期などは、特に注意をしなければなりません。いかがわしい言葉を、有名な女優さんなどに発してもらうといった利用方法も見られます。

ディープフェイクなどＡＩの非倫理的な利用に関しては、**スタンフォード大学の人間中心ＡＩ研究所（以下、ＨＡＩ）が発表した、「人工知能に関する調査報告書２０２３年版」**[*2]が参考になります。報告書によれば、２０１２年と比べて事件や論争となっている対象数は、26倍にも増加しているからです。

直近の例では、２０２２年にウクライナのゼレンスキー大統領を模したディープフェイク動画が作成され、国民に対して降伏を呼びかける虚偽のメッセージを発していると、報告書では紹介されています。

生成ＡＩはいま最もホットな領域

なぜ、ここまで生成ＡＩは急速に普及したのでしょうか？

利用が分かりやすく簡単。そして、いかにも機械的なこれまでのチャットボットとは異なり、本物の人間のように答えを返してくれる正確性、つまり性能の高さ。この2つが大きいと私は考えています。

これまでのＡＩは、モデルを最適化するためにパラメーターを設定するなど、カスタマイズが必要でした。パラメーター（変数）というのは各種数値や設定値であり、変更や調整、演算を行うには、Pythonなどのプログラミングスキルや、半導体の性能が必要でした。なお、パラメーターの数が多ければ多いほど、これまでは一般的に高い精度が実現できていました。

つまりこれまでのＡＩは、高機能な半導体など技術面がより求められていたのです。ＡＩの歴史にも重なりますが、ロジックには高度な発想があっても、クラウドコンピューターなど社会のリソースが追いついていないため、本来の機能を１００％発揮できていなかったわけです。

ちなみに、日本がクラウドコンピューターで世界に追いつけないため、量子コンピューターで勝とう、などという単純化された方針は熟考する必要があります。量子コンピューターと、実際に使われる課題での相性が分かっていないからです。

これまでのＡＩは、プログラミングスキルが乏しい人が利用した場合、本来実現できる機能の10分の1以下しか使えていないといえるでしょう。その壁を、生成ＡＩは取っ払いつつあるのです。

英語に限らず日本語でも対応しますし、言葉が多少足らなくても、それなりの答えが返ってくる。話し言葉、書き言葉どちらでも問題もありません。

「小学生にも分かる内容で１００文字に要約して」など、具体的な指示を出せば、それこそ的確に、きちっと１００文字で分かりやすい内容を答えてくれます。

アプリなどをダウンロードすることなく、スマホやパソコンのＷｅｂブラウザの入力窓に、テキストを書き込めばいい。利用開始に関しても、グーグルアカウントなどを持っている人はすぐに利用できる。このような消費者が使いやすい仕組みも、ここまで利用者が広まった理由の一つだと言えるでしょう。

ユーザー数の増加に伴い、ビジネスや投資の対象としてもヒートアップしています。

そもそもオープンＡＩは、テスラやスペースＸの創業者であるイーロン・マスク氏らが、非営利目的の組織として、２０１５年に設立したのが始まりです。

ところがマイクロソフトと手を組むようになり、２０１９年には10億ドルもの出資を受けるなどして、一気に開発スピードが上がります。当初とは少し違った方向性になったことを受けて、イーロン・マスク氏はオープンＡＩ社と距離を取り始めますが、その後の同社の成長はこれまで説明してきたとおりです。

一方で、Transformerを論文として発表したのは、グーグルとトロント大学の研究者だと先述しました。グーグルはご存じのように、検索サービスなどにより日々膨大なデータを活用していますから、ＡＩの領域で活用できる分野が多い。Facebookを運営するメタも同様です。

対してマイクロソフトは、ビジネスソフトやサービスが主軸です。Azure《アジュール》というクラウドを持っているとはいえ、彼らと比べるとＡＩに使える形のデータが少なく、ＡＩ開発も弱かった。そこでオープンＡＩに目をつけたわけです。

もともと持っている強みである、マイクロソフト系のアプリケーションやサービスに

ＡＩを組み合わせることでシナジーを発揮し、他社より有利に立てるだろう。おそらく、そう考えたのでしょう。

ChatGPTは検索ツールとしても使えます。精度も比較的高い。そのため、グーグルは稼ぎ頭である検索サービスが使われなくなってしまうのではないかと危機感を覚え、株価も敏感に反応します。

検索領域における絶対王者のグーグルの牙城が崩れる。そんなパラダイムシフトが起きるのではないか。こうした思惑から、ＶＣなどが積極的に生成ＡＩ関連のベンチャーに投資を行う、優秀な技術者が生成ＡＩのベンチャーに転職するなどの動きが活発化しています。

ＨＡＩの調査報告書[*3]によれば、ＡＩへの投資は過去10年間で大幅に増加しており、２０１３年と２０２２年を比較すると、約18倍にもなるそうです。

特にアメリカは積極的で、中でも民間への投資が多く、その額４７４億ドル。医療・ヘルスケア分野が61億ドルでトップ、次いでデータ管理・処理・クラウドが59億ドル、フィンテックまわりが55億ドルと続きます。ちなみに投資総額は、２位の中国の１３４

億ドルの約3・5倍にもなります。

生成ＡＩの基盤技術を開発したのはグーグルですから、黙っていません。Bard《バード》というチャットＡＩを開発。当初は英語版のみの提供でしたが、毎年サンフランシスコで開催している開発者向けのイベントGoogle I/O 2023で、日本語を含む40以上の言語に対応させ、約１８０カ国に提供することが発表されました。

Transformerの開発に携わった研究者は複数名いることから、ChatGPTとBard以外の生成ＡＩも多数あります。中でも私が注目しているのは、オープンＡＩの元メンバーが創業したアメリカの「Anthropic《アンソロピック》」です。同社は現在、グーグルと業務提携しています。

このようにビッグ・テックと呼ばれる企業、開発メンバーから派生したベンチャーなどが、生成ＡＩの研究開発やサービスの提供に、しのぎを削っているのです。生成ＡＩは旬なテーマだと言えるでしょう。

マイクロソフトの動きも活発です。同社は自社サービスへの実装、サービス提供をすでに発表しています。冒頭の物語でも紹介した「Microsoft 365 Copilot」という機能は代表例です。

コパイロットは副操縦士という意味を持っており、同サービスはその名のとおり、ＡＩがマイクロソフトの各種アプリケーション、WordやPowerPoint、Excel、Outlookに直接組み込まれ、アシスタントをしてくれます。

たとえばWordでは、文章や数値といったデータをＡＩに投げ、「これらのデータを元に、新しい企画を考えて」といった入力を行えば、そのままWord上に表示されます。PowerPointでも同様です。プレゼンしたい内容のテキスト、使いたい画像などを投げれば、最適なテーマの設定なども含め、パワポ資料を生成してくれます。たとえば、家族の結婚式や、学校の卒業式で流すアニメーションなどで活用できるでしょう。

スライド枚数、使用したい画像などは、こちらで指定することができます。指定したフォルダやクラウドから、ＡＩに選んでもらうことも可能です。

テキストのボリューム、トーン、音楽なども、テキストで指示を出すだけですぐに生成してくれ、気に入らなかった点を再びチャットする。そのキャッチボールを繰り返せば、望むアニメーションが短時間で制作できるようです。

ようです、と書いたのは本書を執筆している時点では、あくまでサービスの概要が発表された段階で、実際の利用時期や価格などについてはこれから明確になるからです。

一刻も早く生成ＡＩに関するサービスを打ち出し、多くのユーザーをマイクロソフトのサービスに囲い込みたい。このような意図は明確に伝わってきます。特に、将来のウィンドウズにも搭載されるということは、読者が使っているウィンドウズの情報を最大限活用した補助機能が搭載される可能性が高いということです。

一方、すでに生成ＡＩの機能が実装された例もあります。マイクロソフトが提供する検索サービス「Bing」です。GTP-4が搭載され、すでに利用が可能です。

行き先、滞在日数をテキストで入力するだけで、世界各国の著名な観光スポットの案内をしてくれる、冒頭の物語で登場した「GPT Travel advisor」なるサービスも生まれています。

このように、爆発的な広まりを見せる生成ＡＩにより、実際に社会やビジネスがどう変わっていくのか。ここからはより具体的な事例を紹介していきます。中でも私が特に注目しているのが、エンタメ業界です。

【イラスト】生成ＡＩが絵本や漫画を創作する

まずは、画像関連です。絵本や漫画といった、これまでは漫画家やイラストレーターといったプロの方々が創作していたコンテンツを、生成ＡＩが創作するようになるでしょう。

すでに、関連サービスも多く登場しています。東京にある３ＤＣＧマンガ制作会社マンガチューバースタジオでは、生成ＡＩを漫画制作時のツールとして活用。あくまで一部ということですが、国内としては初となる、生成ＡＩによる『のほほキッチン』というオリジナル作品を制作し、公開しています。

同作品で使われたのは、アメリカの研究所によって開発された「Midjourney《ミッドジャーニー》」という生成ＡＩです。テキストを入力することで画像や漫画のコマを生み出します。

Midjourneyを使った作品では、『サイバーパンク桃太郎』というＳＦコミックが、２０２３年の3月に新潮社から発売されており、アマゾンでのレビューもまずまずです。

Stable Diffusionを使った作品では、イラストレーターのあぶぶさんという方が、『暗い沼地の姫君』という絵本を発表しています。同作は、生成ＡＩが作成したおよそ３０

0枚の画像から30枚に絞り、ストーリー性を持たせ、セリフを加えるなど構成したもので、制作日数はおよそ5日とのこと。「絵本として成立している」など、読んだ人からは高い評価を得ています。

制作方法は、生成AIらしくシンプルです。参考となる画像を学ばせたり、表現したいストーリーをテキストで入力していくだけ。そうして出てきたストーリーや画像を、ユーザーが整えていく。この作業を繰り返すことで、質の高い作品となっていきます。

今後、プロの漫画家や絵本作家が利用することを想定し、PhotoshopやIllustratorといったクリエイター御用達のプロツールを開発・提供しているアドビも、同様のサービスを展開しています。2023年の3月に発表された、「Adobe Firefly《ファイアフライ》」です。

Adobe Fireflyは、先に登場した画像生成AIと同様にテキストを入力することで画像を生成するのはもちろん、タイトルなどに使用されるテキストエフェクトと呼ばれる、装飾文字の生成を行います。

クリエイターの腕の見せ所でもあった、色のトーンの調整や画像の縮小・拡大なども行ってくれます。なお同社は、さまざまなデジタルツールのAI基盤であるAdobe

Senseiも提供しています。

おそらくは今後も、Adobe SenseiがアドビのＡＩプラットフォームとなり、アドビが提供するさまざまなツールに、生成ＡＩの機能を実装していくことでしょう。マイクロソフトが自社製品に、生成ＡＩの機能を付帯していくのと同じ流れです。

アドビが生成ＡＩのビジネスに着手した当初、私はマイクロソフトがオープンＡＩに投資したように、他の生成ＡＩのベンチャーと協業する、あるいは買収するような動きを見せると予測していました。

しかし、彼らは違いました。今後、生成ＡＩのマーケットが拡大すると予想しているのでしょう。自社で内製し、自社の技術として育てていく道を一旦選択しました。アドビは以前からいち早くSaaS、サブスクの事業形態に着手するなど、未来を予測する力を持つ企業ですから、今後の動向にも注目しています。

【小説】本格的な文章もお手のもの

文章を生成してもらうことを活用すれば、小説を書くことも可能になります。先の絵本や漫画の構成、ストーリーの作成にも重なりますが、どのようなジャンルでどんな作風の小説にしたいのか。指示を的確に行うことで、本物の小説家が書いている作品に近いコンテンツを生むことが可能です。

たとえば、「芥川龍之介テイストの作品を書いてくれ」といった指示です。太宰治でも構いません。村上春樹の世界観を反映した作品でもよいでしょう。

このような使い方がある一方で、自分が書いた作品のベースに、よりエンタメ色の強い作品に書き換えたい。たとえば東野圭吾のような、時代を超越したミステリー風にしたいなど、アレンジとして使うことも可能でしょう。

つまり、作家を目指している、あるいは趣味で文章を書いている人の助けも、今後は生成ＡＩが添削先生として、担ってくれることになるのです。

正式な作品も発表されています。堀江貴文氏がChatGPTを使って書いた『夢を叶える力』というビジネス書です。分量は約４万８０００字、あとがき以外はほぼＡＩが作成し、制作時間は2時間だそうです。

タイトルについても、「堀江氏が書きそうな本のタイトル」を、と指示を出し、生成されたものをそのまま使ったそうです。アマゾンのレビューを見ると一長一短はあるようですが、それなりの評価を得ています。

文章生成ＡＩに関しては、BtoB（法人）関連のサービスもいくつか登場しています。企業の法務担当者などが法律を元に作成する各種契約書を、生成ＡＩがサポートするサービスなどです。

２０１７年、大手法律事務所出身の弁護士2名によって創業された、「LegalOn《リーガルオン》Technologies《テクノロジーズ》」という、リーガルテックベンチャーが手がけています。

これまでも、同社は契約審査を行うＡＩサービスや、同じくＡＩによる契約書の管理システムを開発してきました。そして２０２３年の5月から、ChatGPTを使った契約書類の修正支援サービスを始めました。

同社のサービスはＡＩに入力する指示を調整する、プロンプトエンジニアリングと同じく注目されているサービスとも言えます。

単にChatGPTに契約書類を確認させるのではなく、正しい契約書類、つまり独自に生成もしくは保有しているデータを、一般的なChatGPTが学習で使う外部のオープンデータとは別に、学習させているからです。

つまり、公開されていない独自データによりChatGPTを訓練することで、契約文書の修正に特化したサービスに仕立て上げたのです。同サービスを利用することで、契約書修正に要していた時間を2～3割削減できるそうです。

このように、一つひとつの文字や文章に価値があるデータを持っている組織などは、同様のサービスを展開していく可能性は十分にあり得るでしょう。たとえば、何らかの学会の議事録といった領域などです。

【映画】背景などのCGも生成AIが生み出す時代

映画業界はこれまで、アナログ的な業務や要素が多いという特徴がありました。しかしこれからは、生成AIのような各種デジタルツールやサービスが導入されていくことで、より良い作品が短期間で制作できるように変わっていくことでしょう。

たとえばNetflix。これまで制作したオリジナルストリーミング動画を大量に保有していますから、これらのビッグデータを生成AIに学習させることで、他社では真似できない、公開データだけでは到底制作できないような、Netflixらしい、独自の生成A

Ｉによる作品を制作していくと考えられるからです。

Amazon Prime Videoも同様です。

個人的にはこの2社が今後、生成ＡＩによりどのような動画コンテンツを制作していくのか、注目しています。

特に、ストリーミングの場合は１００本の作品を作り、そのうち1本がヒットすればいいとの考えでビジネスを進めることができますから、少しずつテイストを変えた作品を１００本、生成ＡＩにより制作する。このような戦略が描けるからです。

TikTokで流行した動画を生成ＡＩに学習させ、さらにバズるような動画を生成する。このような動きも考えられます。

特にTikTokは、面白ければよいという傾向が強い一面がありますから、流行した動画は個人ではなく、生成ＡＩが作成したものが使われやすい状況にあり、よりクリエイターが集まって、さらなる人気動画が出る可能性が高まる、というポジティブフィードバックサイクルは十分あり得るでしょう。

一方で、動画は画像を集めたコンテンツですから、１秒あたりのフレーム枚数が多ければ多いほど、時間が長ければ長いほど、コンピューターリソースを必要とします。そのため、私たちがふだん映画館やNetflixで観ているような、2時間ほどの作品全体を生成ＡＩが生み出すような未来は、まだ少し先だと見ています。

　けれども、画像の活用は積極的に進むでしょう。顕著なのはＣＧです。背景でＣＧを利用する流れは以前からありますから、今後はそのような映画背景ＣＧを人ではなく、生成ＡＩが担う。そのような未来が描けるのではないでしょうか。

　事例としては、韓国の大ヒット映画の背景の多くはＣＧで制作されています。『パラサイト』『イカゲーム』『愛の不時着』などがそうで、『愛の不時着』で登場する北朝鮮の平壌《ピョンヤン》の町並みは、ＣＧで制作されていると言われています。ＣＧやセット、ロケを適時組み合わせるのは、もはや一般的な手法として認識されているでしょう。

　主人公の2人が再会を果たす、スイスの雄大な自然のシーンは、さすがに実際に撮影しているようですが、再撮影を行った際はＣＧで代用したそうです。何度もスイスに行き撮影することは、予算や俳優のスケジュール、制作時間の観点からも難しいからでしょう。

　一度撮影しておけば、後は生成ＡＩが画像をデータとして学習し、近しい画像や別の時間帯の画像を生成してくれる。このような使い方が十分考えられます。『愛の不時着』が公開されたのは2019年で、2023年時点からすると3年以上前のことですから、すでに取り組んでいる作品があることは、十分考えられるのではないでしょうか。

ＣＧ背景がすべて生成ＡＩによる作品も登場しています。Netflixのショートムービー、『犬と少年』です。3分と短い作品ですが、富士山など、田舎の風景が時間帯や時代により変わるシーンが象徴的で、すべての背景を生成ＡＩが作成しています。

なお『犬と少年』はNetflixの会員でなくとも、YouTubeで無料で観ることができますので、ぜひともご自身の目で、生成ＡＩが生み出したＣＧのすごみを確認してもらえれば、と思います。

ハリウッド映画でも、以前からＣＧを使った作品は増える傾向にありますから、今後背景のＣＧがＡＩにより生成される流れは、一般的になるでしょう。

イメージとしては、生成ＡＩがいくつかのパターンの背景ＣＧを生成する。従来の伝統的なタッチから、最近の流行を反映したようなタッチを、といった具合です。監督や担当者はパターンをそれぞれ確認し、最適なＣＧを決定する。このような活用方法です。

【動画】著名人・有名人はネット上で生き続ける

生成ＡＩを使えば、この世を去ってしまった著名人・有名な芸能人や実業家に、ネット上で新しい作品やアイデアのきっかけを作ってもらうことも可能です。たとえば、はじめにでも取り上げた、稀代の経営者である稲盛和夫氏。

稲盛氏は生前、盛和塾という経営塾を開き、経営の術や生き方のヒントを伝えていました。しかし、現在は解散しています。

ただ稲盛氏は、生前に著書も含め、数多くの有益な言葉やコンテンツを残しています。これらのデータを生成ＡＩに学習させることで、「稲盛氏だったらこういったアドバイスをしてくれる」というような会話・サービスの実現が可能だからです。

実際、近しいコンテンツがすでにあります。「稲盛和夫bot」というTwitter（2023年7月より「X」に改名。本書では、以下Twitter）上のサービスです。こちらのアカウントは、稲盛氏の名言を定期的につぶやいています。ただ、これはあくまでこれまでのデータを識別している、パターン認識ＡＩのレベルです。ここに、生成ＡＩを加えるのです。

生成ＡＩはテキストだけでなく、画像や音声の生成もできますから、リアルなアバターを生成し、まるで本人が話しているようなサービスに成長させることも可能です。

同様の技術を使えば、亡くなってしまった俳優をスクリーンに復活させることもできます。生前の画像や音声を生成ＡＩに学習させるのです。実際、取り組み事例もいくつか見られます。

２０１９年のＮＨＫの紅白歌合戦では、ＡＩにより復活した美空ひばりさんが登場しました。ゆーみんこと荒井由実さんは、自身の50年前の歌声をＡＩで生成し、ご本人とコラボレーションしています。

ユニークなところでは、イーロン・マスク氏とスティーブ・ジョブズ氏の対談を、生成ＡＩが実現させた取り組みも見られます。バーチャルで再現された両者が、iPhoneやＡＩについて対談している様子が、Twitterで公開されています。

正直、ＣＧの2人はあまり似ておらず、動きもスムーズでもありません。

しかし、エンタメとしては許容範囲でもあり、この先コンピューターリソースが充実していけば、まるで本物の２人が討論しているようなシーンが見られるようになるでしょう。

では、このような複合的な生成ＡＩの技術や取り組みが進むと、未来はどうなるのでしょうか？

現在多くのサービスで使われているパターン認識型のチャットボットは、より正確になるでしょう。ホテルの受付などでも、最近はロボットによる応対が珍しくなくなりましたが、人と比べると機械的であることは否めません。

それが、リアルな応対に限りなく近づいていきます。さらに言えば、各人のアバターもこれまでのようなキャラクター的なものから、リアルなＣＧへと進化していくでしょう。これは、漫画『ドラえもん』に登場するコピーロボットのような存在、世界観と近しいものです。

たとえば、話者が話し続けるような講演では、十分に社会実装可能だと私は思っています。ホログラムも活用し、服装やメイクも思いのままに生成できますから、講演で全国を飛び回っている方などは、負担が減ることになります。

逆に、より多くの講演に応じることができるようになる。そして本人は、コミュニケーションが必要な場にだけ、登場すればいい。効率的な時間の使い方が実現するのです。

対して討論会のようなシーンは、後述するお笑い芸人のネタにも重なりますが、言葉の内容だけでなく、間やトーン、表情や目つきといった情報も汲み取った上で、ベストな表情やテキストを生成する必要がありますから、実現はもう少し先だと思われます。

しかし、いずれはZoomで会議していた相手が、実は生成ＡＩが支援して作られた動画によるものだった。そんな未来も遠くないのです。

【お笑い】ネタも作るAI芸人も登場しうる？

これまで紹介してきた生成ＡＩの活用を考えると、お笑い芸人のネタやコントの脚本も、生成ＡＩが生み出せるのではないか。このように考える人も少なくないのではないでしょうか。

結論から言えば、できなくもない、というのが私の考えです。

というのも、お笑いやコントのネタの面白さは、文字で示された自然言語の情報だけではないからです。お客さんの様子や空気感を芸人さんが汲み取った上で、最適なタイミングで次のトークを決める、あるいはボケるなど、〝間〟や言葉の〝トーン〟が大きな要素を占めているからです。

そしてこのような間やトーンは、地域や国、個人によっても異なるものでもあります。つまり、そのネタやコントがなぜ面白いのかは、単なるテキストデータだけでなく、それ以外の情報が必要だということです。そのため、お客さんの脳波や表情、笑い声を測るような取り組みが補助的に重要になってきます。

ただ言えることは、面白いと感じているお客さんのデータを集めることができれば、そのデータを元に別のネタを生成することは可能でしょう。正確には、識別AIと生成AI、この2種類を使うことで実現するイメージです。

識別AIは、お客さんが笑っているかどうかを判断します。そして、識別AIで判断され適切だと思われたデータを元に、生成AIがネタを考えていく。もちろんその際には、これまでご紹介してきたように「学生をテーマに3分以内で」とか、「ボケとツッコミを30秒おきに」「自分の声にあった形で」といった指示を出すことも可能です。

つまり、それぞれの芸人さんの特徴、キャラに即したネタをAIが補助的に生成することができる可能性があるのです。アイデア出しの支援にもなります。

もっと言えば、ネタを披露する芸人さんはリアルである必要はありません。アバターでも構いませんし、すでにこの世を去っている人気芸人や噺家さんでも構いません。生前披露していたネタのデータはもちろん、画像生成ＡＩもあわせて活用するのです。

一方でテーマは、現代にマッチした内容に設定する。時代を超越しながらも、最先端のお笑いを往年の芸人から楽しむことができる。このようなワクワクする未来が、実現するかもしれないのです。

興味深い研究があるのでご紹介しましょう。**ハーバード大学の経営大学院、ハーバード・ビジネス・スクールのマイケル・H・ヨーマンズ氏の取り組み**[*4]です。同氏は、人間の好みをより正確に予測できるのは人間か、それともＡＩか、といった研究をしています。

具体的には、配偶者や親友といった特定の人に対してジョークを聞かせたときに、どの程度おもしろがるかをＡＩと人、それぞれが予測した内容と、実際の結果を比べた実験などがあります。

【音楽】シーンにマッチした楽曲を生成AIが提案

作曲活動においても、生成ＡＩを使えば本格的な楽曲が簡単にできるようになります。ユーザーはテキストで望みの楽曲のテイストを打ち込むだけ。「ジャズっぽい3分くらいの楽曲を作って」とか、「〇〇のアーティスト風の楽曲を作って」と投げるだけで、それに即したテイストの楽曲が生成されます。

アーティストというのは、それぞれが独特、独自のパターンと言いますか、テイストを持っていますよね。ゼロからそのような曲を生み出すことは、もちろんそのアーティストにしかできないことです。

一方で、すでに発表されている多くの楽曲から、イメージしている楽曲を創作することは、生成ＡＩの得意分野になります。

つまり、音楽創作の知識や技術がまったくない素人でも、それなりの楽曲を作ることができるようになるのです。実際、生成ＡＩによる楽曲サービスはすでに多く発表されています。「Drayk.it」はそのひとつです。

カナダ出身のラッパーであり、俳優でもあるドレイク氏。ミリオンセラーを何度も達成している、名実共に偉大なアーティストである彼のような楽曲が作れるアプリです。ユーザーは、自分が作りたい楽曲スタイルを文章で入力するのみ。すると生成ＡＩが、ドレイク風の楽曲を作ってくれます。

音楽制作における生成ＡＩの使い方としては、大きく2つのシーンが考えられます。ひとつは、すでにプロのミュージシャンが、これまでとは違ったテイストの楽曲を作ってみたときなど、手がけた楽曲にさらなるアレンジを加える際の利用です。オン・オフどちらでも構いませんが、これまではアーティストが集まりセッションをすることで、アレンジを行っていました。もちろんこのようなリアルな集まり、取り組みも重要ですし、今後もなくなるとは思いません。

しかし、生成ＡＩを使えば手軽に、さまざまなテイストの楽曲を、簡便かつスピーディーに生み出すことができるのです。

そうしていろいろと試した上で、「これだ！」と思った楽曲が生成ＡＩによって生み出されたら、そこからはプロのミュージシャンに実際の演奏をお願いして作り上げる。このような使い方も考えられます。

もうひとつはプロではない、あるいはプロであってもそれほどメジャーではないミュージシャンによる活用方法です。TikTokやInstagramへの投稿をきっかけに、一気にスターになるような流れが一般的となりつつあります。

この流れが、生成ＡＩを使うことで加速します。特に、TikTokのような動画は音楽が重要な役割を占めます。たとえばダンサーを目指している若者が、自分のダンスにあった楽曲を作成することで、高品質な独自の動画が作れるようになる。余った時間を活用し、自分はダンスの上達に集中することができるからです。

YouTubeも同様です。有名になりたい、もしくは一攫千金を狙いたい人にとっても、自分のパフォーマンスにマッチした楽曲を、生成ＡＩで簡単かつスピーディーに作成できるようになります。

同じような意図で、インディーズのアーティストや映画監督などが、楽曲のプロデュースや制作をプロにお願いするには予算が足りない。けれども生成ＡＩを活用することで、それなりの楽曲を作れるようになる。そんな未来はもうすぐそこなのです。

【ゲーム】アイデアさえあれば作れるようになる

ゲーム開発においても、生成ＡＩの登場により、これまでよりも楽にゲームの開発を進めることができるようになります。大きいところでは、先にも紹介した各種ＣＧの作成、キャラクター同士の会話、プログラミングです。

Nintendo SwitchやPlayStation、パソコンといった、プラットフォームを使った本格的なゲームに限らず、スマホで手軽に遊べる無料のゲームなど、世の中には数多くのゲームがあります。

値段や規模などはそれぞれ異なりますが、どんなゲームを作るのかという企画に始まり、設計、開発、実装、テストを経てローンチ、という流れはさほど変わりません。

その中にあって設計・開発段階は、プログラミングやイラストレーションといった、専門の技術を持つクリエイターが必要不可欠なフェーズです。ここを、生成ＡＩが担ってくれるようになります。

たとえば、キャラクターのデザインや設計・開発です。クリエイターがイメージしたキャラクターの雰囲気をテキスト、あるいはラフ画像で入力し、補足を加える。そしてチャットを繰り返すことで、望むキャラクターに短期間で近づけていけます。

背景、武器などのアイテムも同様です。特に、昨今のオンラインゲームで人気の高いフォートナイトなどのRPGは、多くのキャラクターやシーンが登場します。中には、キャラクターでありながらも、ユーザーが操る主人公とは特に会話をしない、あるいは誰にも操られない背景的なキャラクターも少なくありません。NPC（ノン・プレイヤー・キャラクター。以下、NPC）です。

ただ、このNPCもゲームの中では、言ってみれば映画におけるエキストラ的な存在です。つまり、しっかりとした動きが求められる一方で、予算は限られていますから、どこまで作り込むか、という問題がありました。

この問題を、生成AIが解決・支援します。言葉や相手のリアクションに対して、適切な動きや会話を行うことができるからです。

実際、2023年の3月にサンフランシスコで行われた、ゲーム開発者向けのイベント「ゲーム・デベロッパーズ・カンファレンス」では、ご紹介したような取り組みが話題となっていました。

プログラミングにおいても同様です。プログラミングが好きな方には怒られるかもしれませんが、ゲームに限らず、プログラミングはあくまで目標を達成するための手段です。

そのため、開発者が実現したいゲームの世界観などを伝えれば、あとは生成ＡＩが自動でプログラミングの提案をしてくれる。実際、ソフトウェア開発のメジャーなプラットフォームGitHub《ギットハブ》などに、コードが無数に公開されています。

そして、プログラミングを行わずにアプリを開発する動きは、以前からあります。フレームワークや専用のツールなどもたくさん提供されています。

つまり、ゲーム本来の楽しさや魅力である、根本のアイデア出しの良し悪しやセンスのある人が、よりゲーム開発に注力できる。もちろん、大きなゲーム会社であれば、このような取り組み、作業分担は当然行っているでしょうが、これから世の中に出ていく個人や若いクリエイターに、よりチャンスが到来する未来になると私は考えています。

さらには、最初の企画・アイデア出しの部分まで、生成ＡＩが担ってくれるような未来も考えられます。

実際、**デンマークのコペンハーゲンIT大学研究チームは、『スーパーマリオブラザーズ』のステージを自動生成する研究開発**[*5]に取り組み、「MarioGPT」なる生成AIと、実際に生成したステージを公開しています。

つまり企画の段階からも、「マリオのような世界観のRPGを」とか、「ファイナルファンタジーの世界観が詰まった縦スクロールのアクションゲームを」といった使い方ができるのです。おそらくすでに活用して、斬新なゲームを開発しているクリエイターはいると思われます。

エンタメにおける生成AIが描く未来については、アップルやグーグルがまだ今ほど大きくない、初期のころから投資をしてきた**アメリカの大手VC、セコイアが公開している「Generative AI: A Creative New World」**[*6]の内容が興味深いのでご紹介します。

「文書作成においては、コピーライティング、法的文書など専門領域の文書作成、脚本制作が可能になる未来が見え始めている。そのほか、メモや文章を生成AIに入力することで、ピクサー映画レベルの作品を作れるようになる」

「ゲームにおいても瞬時に、Roblox《ロブロックス》のような壮大なゲーム開発プラットフォームならびに、プレイができるようになる。プログラミングにおいても、GitHub Copilotを使えばプロジェクトで使われるコードの40％近くが自動生成できる」

そのほか、同記事では「エンタメ業界に限らず、iPhoneのアプリやスニーカー、ロゴ、建築物などのデザインが行えるようになり、かつ3Dプリントで出力できるような未来が予測できる」と論じています。

Robloxはゲーム開発プラットフォームであり、GitHub Copilotは先述したとおり、Microsoft Officeに搭載されているような、AIがコーディングを提案する機能で、オープンAIとGitHubが共同で開発しています。

ユニークなのは、著者の欄にGPT-3がクレジットされていることです。こちらの発表ではそのほか、労働生産性、経済的価値、生成AIのリスクなど、幅広いシーンにおける未来予測を論じていますので、気になる方は読んでみるといいでしょう。

生成ＡＩが描いた絵が賞を獲得

アメリカはテキサス州で行われたＣＧコンテンストで、Stable Diffusionで作成した作品が1位を獲得し、話題になっています。ＡＩが描いた絵でもいいという肯定派、それを認められない否定派、という対立構造も生まれています。

生成ＡＩが当たり前に広まっていくこれからは、このような問題、議論は繰り返し起こるでしょう。実際、次のような動きも起きています。

アメリカのＩＴ企業で働くデザイナーがMidjourneyを使って絵本を創作し、アマゾンで販売していることに対し、同業のイラストレーターなどのクリエイターから批判が集まっている事例です。

小学生の夏休みの宿題でありがちな、夏の思い出を一枚の絵に描くといったことも、生成ＡＩで行う。このような生徒や親御さんが出てくることも、十分考えられます。というより、すでに利用している人はいると思われます。

このような背景を受けてか、オープンＡＩはＡＩが書いた文章かどうかを判別する

「AI Text Classifier」というツールを公開しています。おそらく今後は、画像領域でも同様の判定ＡＩを発表してくると思いますし、同じく生成ＡＩを開発している各社が、似たようなサービスを開発・提供する流れになるでしょう。

ＡＩが作成した作品であっても、人が感動すればよい。それはれっきとしたアートである。このような考えから、ＡＩ賞という別のカテゴリーを設ければよいのではないか。そんな動きもあります。

議論を深掘りしていくと、そもそもアート、クリエイティビティーとは何なのか、という点に集約されます。「コンピューターの力を借りるなんてけしからん」といった感じで全面否定する人もいるようですが、私はそのような考えには反対です。人が描いた作品であれ、生成ＡＩが描いた作品であれ、観た人が感動したのであれば、どちらも一定の評価をすべきだと思うからです。

ただ、難しいのはその報酬でしょう。学習させた素材の著作権は、十分に公平に尊重されているかを考えなければなりません。ただ同時に、どこまで生成ＡＩが人を感動させる作品を生み出すことができるのか。突き詰めるべきだとも思っています。日本がやらなくとも、他の国がやる可能性が高いからです。

そして両方のシーンが盛り上がったり、互いに切磋琢磨することで、結果としてアート業界全体が進化し、活気づいていく。

元データの著作権に関しては、ルールをきちんと決める必要があるでしょう。実際Adobe Fireflyでは、著作権がクリアになった画像しか使っていません。アドビのアプローチは正しいと思いますし、今後、生成ＡＩをエンタメで使っていく際の、ひとつの試金石とも言えるのではないでしょうか。

報道、文学、作曲の功績に対して授与される、ピューリッツァー賞の受賞者も多く輩出している、**テキサス大学オースティン校。同大学のカリム・ネイダー氏、ポール・トップラック氏らは、ＡＩについての印象などを、アメリカ在住の１２２２人に対して調査**[*7]しました。

質問項目は、ＡＩの知識や未来、ＡＩと心理的なつながりが持てるようになるか、などといった内容でした。結果は6割の人がＡＩについて理解しており、約半数がＡＩに関わる未来を楽観視している。そのような成果が得られたそうです。

生成AIはあくまでアシスタント

生成ＡＩの話題を論じていると、必ず上がるテーマがあります。生成ＡＩがさらに浸透していくと、該当業務を担っていた人たちの仕事が奪われるのではないか、とのトピックです。結論から言えば、私はそうは思いません。

そもそもChatGPTをはじめとする生成ＡＩは、マイクロソフトのサービスで示しているように、あくまでコパイロット。現時点では副操縦士でしかありません。パイロットである人の指示に対し、言ってみればオウム返しをしているだけに過ぎないのです。つまり、ゼロから何かを生み出すことは、現時点ではできないのです。そのため最終的な決定権も、当然指示を出した人にあります。

先述の絵本作家のあぶぶさんも、生成ＡＩを使った今回の作品の取り組みに対して、次のように振り返っています。「作画のクオリティが高いわけではない」「毎回加筆の必要がある」「そもそもストーリーは人が作る必要がある」。

現在下請け的な、アシスタント的な立場にいる人の仕事は奪われるのではないか。このように話を重ねてくる人もいますが、ここでも私の答えはＮｏです。業務がより効率化しますから、アシスタントの立場の人は別の業務、人しか行えないような仕事にシフトしていくと思うからです。たとえば、生成ＡＩに正確なプロンプトを送るような業務です。

ハーバード・ビジネス・スクールの教授陣がWorking Knowledgeというコラムで発表している内容[*8]でも、同様の見解です。具体的にはコラム記事で、以下のような発言をしています。

- ChatGPTのような生成型ＡＩツールは、専門家の補助的なツールとして使用されるべきだが、それだけに依存してはならない。
- ＡＩ、特に生成型ＡＩは、知識労働者の作業を効率化し、付加価値の高い仕事に専念できるようになる。
- ＡＩは仕事の性質と必要なスキルを変えるが、仕事を完全に置き換えることはないだろう。

一方で、生成ＡＩは汎用性、誰でも簡便に使えるのが特徴ですから、仕事が減るのではなく逆、むしろ大勢の人にチャンス、門戸が広がると私は考えています。

絵を描く、音楽を創り出す、文章を書く。これらを仕事にするには、特別な才能が必要だとされていました。そのため好きでたまらないけれど、才能がないからと諦めていた人にも、チャンスが訪れると考えられます。


生成ＡＩの登場で、エンタメ業界は働き方も大きく変わるでしょう。大手広告代理店にありがちな、新入社員の育成などで「１００本、キャッチコピーを考えてこい」と言われ、ゼロから１００のキャッチコピーを生み出すようなことは、少なくなるでしょう。

ＡＩに１００本のキャッチコピーを書かせ、その中から現在のマーケットにフィットするのはどれか。より良いコピーは？　そのような育成手法にシフトしていくからです。まさに先述したように、人にしかでない業務を、人が行うようになる未来です。

インターネットが成熟していくにつれ、どんな情報を持っているかではなく、どのような情報を収集できるのか。そこから何を生み出すことができるかに、重きがシフトしていった流れと似ているでしょう。

プレゼンでも同様です。しっかりと作り込んだA案B案を用意するのではなく、ＡＩがそこそこ作り込んだプランを１００通り用意し、選抜し、どのテイストがよいのかをクライアントに判断してもらう。そのような方向に進むと考えられます。


一方で、現地でリアルに撮影するカメラマンのような仕事は減っていくと思われます。あわせて、同業務に伴い発生していた、現地でメンバーをアテンドするコーディネーターなどの仕事も、本書のテーマとは直接関係ありませんが、減っていくでしょう。

しかし、このような変化は世の中の流れであり、逆らうことはできません。目先の既存の仕事にしがみつく、イノベーションのジレンマに陥るのではなく、空いた時間とこれまで培ってきた自分の技術や経験を活かし、どのような新しいサービスを提供することができるのか。このような思考、アクションが求められます。

たとえばカメラマンであれば、後述するような生成ＡＩの支援のような仕事も、これからの世界では発生すると思われるからです。

生成AIエコシステムな世界が訪れる

先に、アドビが著作権をクリアした画像しかデータとして扱っていない、とご紹介しました。裏を返すと、このようなデータを提供する側のクリエイターにとって、生成AIが浸透することで、新たなビジネスチャンスが広がると、私は考えています。

たとえば、Adobe Fireflyを使って、プロのクリエイターが大手化粧品会社のコマーシャルを制作したとします。制作に使った画像は当然ですが、もともと創作したクリエイターがいます。そのクリエイターに対して、おそらくアドビ側からだと思いますが、何らかのインセンティブが支払われるからです。

これは、すでにフォトグラファーが恩恵を受けているサービスに近いでしょう。PIXTA《ピクスタ》など、写真の素材ストックなどのサービスに、自ら撮影した画像を提供する。提供画像が利用された際に、キックバックされるビジネスモデルです。

このあたりはサービスも含め、生成AIを使ってよいのか、ダメなのかの議論にもつながります。自分の撮った画像や書いた文章、あるいは作曲した楽曲などに対し、絶対に使ってほしくなければ、そのような意図を打ち出すと同時に、コンテンツに何かタグのようなものをつけておく。そのような動きが生まれていくと考えられるからです。

逆に、どんどん使ってもらって構わないというクリエイターは「使用可」的なタグや意思表示をする。このようなルールを整えていけば、ある意味お互いがWin-Winの関係となる、エコシステムが形成されていくと思われます。

もちろん可否を決めるのは個人の判断により行われ、どちらかが正しい、間違っているということもありません。

実際、アーティストの中には、これだけオンライン、サブスクで音楽を聴くユーザーが増えたにもかかわらず、自分はあくまでアルバムのみで勝負する、もしくは1つの曲ではなく流れで聞いてもらいたい。そんなこだわりを見せる方も一定数いるからです。

IllustratorやPhotoshop、シンセサイザー、もっと言えばパソコンやワープロなども同様です。未だにアナログ、手書きで作品を描く。生音が出る楽器にこだわる。字詰めの原稿用紙に万年筆で作品を書く。このようなクリエイターもいます。それは一つのスタイルです。

業界としてルールを定めることも必要ですが、自分はどの道に進むのか、進みたいのか。どこまで許容できるのか。エンタメ業界で働いている方もそうでない方も、一人ひとりが考えてもらいたいテーマです。

第2章

金融業界

アップル／スマホによりあらゆるサービスが呑み込まれる

アップルが30秒で開設できるスマホ銀行をスタート

金融業界における大変動は、アップルが牽引しています。中でもいま最も注目すべきトピックは、2023年の4月17日からアメリカでサービスの提供をスタートした、アップル貯蓄銀行口座サービス。正式名称は「Apple Card Savings」です。

インフレの傾向を反映して、金利は4・15%から開始。瞬く間にユーザーから支持され、サービススタートからわずか4日ほどで、預金額は約10億ドル近くを達成しました。

そもそもアップルが金融サービスに参入したのは、今から10年ほど前の2014年、Apple Payを発表したときまでさかのぼります。Apple Payはいわゆる「○○ペイ」に近い存在ですから、スマホをかざすことで、決済ができます。

しかし、こういった電子決済サービスに対応していない店も少なくない。そこで2019年、クレジットカードサービス、Apple Cardを発表します。2022年始めの時点での利用者はおよそ670万人という規模で、私もサービスローンチ後はすぐに入会。アップルらしいデザイン性に富んだ、スマホではないリアルなチタン製のカードが印象的です。

そして今回、本丸とも言える金融事業、口座開設に踏み切りました。2023年前半に起きた、シリコンバレー銀行やファーストリパブリック銀行などの破綻の中、資金の移動先を考えていた人もいるでしょう。すでに大手に銀行口座を持っている人、特に大人たちは、他の金融サービスの利率なども考慮すると、金利に対してはそれほど敏感に反応しなかったかもしれません。

一方で、若者は異なります。特に、アメリカの若者は日本とは異なり、学生ローンを組みながら学校に通っている人たちが大勢いますから、少しでも高い金利の口座に入れたくなるのが本音だからです。

しかも、まだ銀行口座をそれほど持っていないであろう若者にとって、たった30秒で難しい審査など必要なく、スマホで簡便に口座が開設できることは、大きな魅力に映るはずです。

なぜ、これまでの日本であれば数日かかる銀行口座の開設が、貯蓄口座とはいえわずか30秒でできるのか。

それは、Apple Cardを持っていることが条件であるから。iPhoneというデバイスを介しているからです。

スマホは個人情報の塊です。そのため、指紋認証などのセキュリティが施されており、誰がそのスマホを保有しているのかなど、個人認証の信頼性も極めて高い。クレジットカードという与信、スマホという高セキュリティなデバイス。この2つをかけ合わせることで、わずか30秒での貯蓄口座開設を可能にしているのです。

申込者がすることは、日本で言うところのマイナンバーのような、ソーシャルセキュリティーナンバーを打ち込み、規約の同意ボタンを押すだけ。

もうひとつ、特に若者がアップル銀行を支持する理由があります。一般的に銀行の各種サービスは、ウェブサイトなどにログインしないと情報が分かりません。

しかし、アップル銀行の場合は、金利の振込などのお知らせをプッシュ通知でくれます。そのためユーザーは、面倒なログインをしなくとも、金利が入ってくることを確認できる。この手間の省略も、評価されている理由でしょう。

そして、アップルがデザインしたUIがシンプルで使いやすい。特別なアプリをダウンロードすることなく、iOSに付帯。スマホ内のApple Cardに組み込まれ、ウォレットにも紐づいており、挙動もとてもスムーズです。

iPhoneマニアで世界を席巻する狙いがある

ところでなぜ、4・15%という高金利が実現できるのでしょうか？

そもそもアメリカの中央銀行の金利目標がインフレ対策もあり、日本と違い高く設定しているいる時期というのもありますが、アメリカの大手銀行の金利は低く設定しています。ある意味、そこから金利差で儲けるためともいえるでしょう。他のオンライン銀行や証券と似ていますが、アップルは金利差で儲けることを考えていないからです。iPhoneは利益率の高い製品であり、モデルにもより異なりますが、およそ20～50%と言われています。

仮に、50%で1台10万円だとします。利益は5万円ほどですから、これを3年で買い替えるとすれば、年に約2万円も利益を得る計算です。アップルにとっては、手放しにくいビジネスだとお分かりいただけるでしょうか。

今回のアップル銀行に限らず、イヤフォンやウォッチなどの付帯製品、付帯サービスを通すことにより、継続してiPhoneを使ってもらいたい。言ってみれば、iPhoneマニアを世界中に広げ、マーケットを席巻する狙いがあるのです。

Apple Music、Apple TVなどもいい例です。今後は口座を開設した、入金のあったユーザーにはiPhoneを2割引で提供。このようなサービスも十分考えられます。「鶏が先か、卵が先か」の問題のようでもありますが、いずれにせよアップルの狙いは、一人でも多くのユーザーをiPhoneならびに、アップルのサービス傘下に囲い入れることなのです。

スマホ1台で完結する私たちの人生

30秒で口座開設できた理由のひとつに、高いセキュリティを誇るスマホだからこそ、と説明しましたが、少し補足しておきます。結論から言えば、今後、あらゆる認証サービス、さらには私たちの暮らしの多くのやり取りは、スマホで完結するようになるでしょう。

たとえば、これまでのように銀行口座を店頭で開設しようとします。免許証など本人を証明するものが必要ですが、免許証に写っている写真と目の前の人が同一人物かどうかを判定するのは、その人の知り合いでもない初対面の人が行っています。

金融サービスで一番重要なポイントは、KYC（Know Your Customer）、つまり本人かどうかの判断ですが、その部分は言ってみれば属人的に行っている。人によっては、詐欺を見過ごしてしまうこともあります。実際、身分証明書の偽造は後を絶ちません。

対して、スマホを本人確認に使う場合を考えてみます。スマホは個人情報の塊ですから、調べようと思えば、その人がどのようなカードをウォレットで保有していて、どれくらいの金額を毎月支払っているのか、さらには銀行系のアプリと連携すれば、金融資産も分かるでしょう。どこで何をしているのか、どのような仕事をしているのかなどプライベートに関する内容もありますから、業務としてそこまで深くは調べないとは思いますが、調べようと思えばできる。それが、スマホなのです。

アメリカでは、自動車の運転免許証がすでにスマホに入っている州もありますから、それこそ銀行の店頭に行って、本物か偽物か分からない免許証で本人確認するようなことも少なくなっていくでしょう。

これはアップルのキャンペーンで言及されていたことですが、アップルの一つの目標は「財布をなくすこと」だそうです。小銭だけでなく、カード、免許証、健康保険証など、実際すでに多くの証明書が財布に入っています。これらがスマホやウォッチなどのデバイスに入っていく。つまり、スマホなどのデバイスは、私たちにとってこれまで以上に欠かせない生活インフラになっていくのです。

おそらく今後は、住民票などもスマホに取り込まれるでしょう。現状の日本においては、コンビニでスマホを利用して住民票を発行できることが、画期的であるかのように取り上げられています。しかし、それはあくまで住民票が必要な状況そのものを、デジタルで完結させるための中間地点であるべきです。

紙に印刷するのではなく、スマホ認証でいいのです。なぜ、わざわざプリントアウトせざるを得ないのか。その状況を、規定も含めた上で変えていかなければなりません。

一方で、サービス提供側の視点で考えると、今後どのような金融サービスを打ち出していけばよいのか、自ずと見えてきます。いま銀行の窓口で行っているサービスは、何が邪魔をしてスマホに置き換えることができないのか。

スマホを活用することで、よりお客様に便利なサービスを提供することができないか。

このような視点で考えると、新たなサービスが生み出せることでしょう。

メガテックによる金融支配が、日本に到来するのは時間の問題

現在日本では、アップルの金融サービスでいうと、Apple Payなどしか展開されていません。ただ今後、日本でも展開していく可能性は十分にあると、私は考えています。その理由は、日本はアップルにとって優良マーケットだからです。

日米の金利差により、2023年時点の利率4・15%の実現はさすがに難しいと思いますが、日本の中でも比較的有利になるような利率設定ができるでしょう。

iPhoneユーザーが多い以外にも、日本マーケットで支持される理由があります。それはポイントです。世界を見渡しても、日本人は他に類をみないポイント大好きな国であり、国民性です。

Apple Cardでは、利用したお金のキャッシュバックポイントが、アップルの貯蓄口座に還元されます。

驚くのは、買ったその日にキャッシュバックされる、Daily Cashというサービスがあ

ることです。たとえばApple Storeで、15万円相当の13インチのMacBook Proを、Apple Cardで購入します。すると、その日の夜には15万円の3％、約４５００円がキャッシュバックされます。

また、アップル製品は値引きしないことでも有名です。そのため、Apple Cardを活用することで、実質的にこれだけの値引きが得られるのは、アップルユーザーにとってはかなりの特典と言えるでしょう。

銀行口座に限らず、証券、クレジットサービスも呑み込む

本人確認も含め、スマホが最大の生活インフラとして機能するようになれば、銀行口座に限らず、あらゆる金融サービスがスマホに取り込まれていくでしょう。

証券、保険など、口座ならびにサービスの開始に本人確認が必要なものは、スマホで利用した方がユーザーにも業者側にも便利で楽だからです。そしてスマホであれば、わずか数十秒で開設できる可能性があります。

金融業界は法律が厳しく、異業種が参入しづらいとのイメージを持たれている方も多

いと思います。だからこそアップルは、既存の金融会社と手を組むことで、そのハードルを乗り越え、アップル貯蓄口座サービスを実現しています。今回の事例でいうと、開始当時ではゴールドマン・サックスです。端的に言えば、ゴールドマン・サックスがアップルの支援者になったのです。

もちろん、ゴールドマン・サックスにもメリットがあります。彼らはもともと法人相手のサービスで強みを発揮していました。

しかし、リーマンショックが起きた後、エンドユーザー向けのサービスを広げていきますが、いかせん後発ですから、なかなかユーザー数が伸びない。

そこに、個人には絶大なブランド力を持つアップルと、手を組むチャンスができました。実際、アップル銀行の口座は、実質的にはゴールドマン・サックスの個人金融サービスの支店に作られる、という仕組みになっています。

法律上は、ゴールドマン・サックスの○○支店口座ではありますが、ユーザーはスマホでお金のやり取りができますから、物理的な銀行の窓口は今後、ますます意義をなくしていきます。

加えて、日本のメガバンクが相次いで店舗を閉鎖、統合している流れを見ても、これは明らかです。このあたりの話は、拙書『銀行を淘汰する破壊的企業』（SB新書、2021年）で触れている内容でもあります。

つまり、銀行が既存の金融事業だけでビジネスを続けていくことは、難しくなりつつある。

一方でアップルに限らず、スマホを展開しているグーグルなども、同じように金融事業に参入してくる可能性は大いに考えられます。

見方を変えると、証券や銀行など、単体で金融関連のサービスを展開している企業は、この先淘汰される可能性が高まっていると言わざるを得ません。多くの金融機関や証券会社は現在、手数料で儲けていますが、これまでの流れどおり、アップルがその手数料を無料にするサービスを展開することは十分考えられるからです。

アップル以外では、株式の売買手数料が無料のサービスを提供している企業がすでに複数あります。その先陣を切ったのはアメリカのベンチャー、ロビンフッドでしょう。

最近は業績が芳しくないですが、出てきた当初は株式投資にさほど興味のない、特に若い層から圧倒的な支持を得て、多くのユーザーを獲得しました。

同社が支持された理由はいくつかありますが、口座開設や手続きが簡単であったことが大きいと言えます。アップル口座のように、スマホ上で開設に必要なすべての手続きが行えるだけでなく、サービス開始後の実際のトレードならびに決済も、スマホで完結します。

加えてロビンフッドは、これまで仰々しいイメージのあった株式取引を、スマホでゲームをやっているような感覚で操作できる、画期的なUI・UXを設計・実装しました。このような斬新なサービスを提供した結果、利用者数は増加。ロビンフッターなる言葉も生まれるほどの盛り上がりを見せました。アップルが同様のサービスを展開してくることは十分考えられます。

さらに、スマホに蓄積された多くの情報を活用することで、株式投資も含め、金融機関やファイナンシャルプランナーが提供しているような、資産運用やポートフォリオの分析などの金融サービスを、アップルが提供してくることはあり得ます。

そして繰り返しになりますが、アップルはこれら金融サービス単体で儲けることが目的ではありません。そのため利用料は、他社のサービスと比べて圧倒的に安く、もしくは無料にすることが可能です。

一方で、日本では金融資産を持っている人の多くが高齢者であり、スマホを使った金融サービスを今から覚えることは、なかなか難しい。そんなこともあり、縮小はしていきますが、リアル店舗を最低限は残す必要もある。

新しいサービスを展開したいけれど、できない。このようなジレンマにより対応が遅れているうちに、アップル銀行という巨大な黒船がアメリカで登場したわけです。

ここ最近は、金融会社でもコンサルティングなど、さまざまなサービスを提供するようになりました。とはいっても、高齢者が銀行に預け入れている金融資産を運用することによる利益が、まだまだメインです。そのため、まずは利用者に預金をしてもらうことが、大前提になるわけです。

しかし、アップル銀行が日本でサービスをスタートすれば、おそらく多くの若者が一般的な銀行ではなく、アップル銀行を選ぶでしょう。理由は明白、若者の多くがiPhoneユーザーだからです。

店頭に行く必要もなく、使い勝手もよく利率もいい。アップル銀行を選ぶのは、当然の流れと言えるでしょう。

アップルはiPhoneという圧倒的なインフラを武器に、あらゆるサービスをエコシステムとして取り入れることで、より利便性を増し、結果としてiPhoneユーザーを世界中に増やすことで、着実な利益を得る。そんな未来を描いているのです。

保険業界も巨大ＩＴに呑み込まれる

銀行、証券業界に限らず、保険業界もアップル、iPhoneの経済圏に呑み込まれる可能性が高いでしょう。理由は大きく2つあります。

1つは先に紹介したとおり、iPhoneが本人確認のしやすいデバイスであること。もうひとつは、iPhoneには個人の健康など多くのデータが集まる点です。

保険というのは医療保険であれば、本人の病歴や現在の健康状態、家族の病歴などを元に、価格を設定します。自動車保険も同様です。若くて事故を起こした経験のあるドライバーは保険料が高く、長年ゴールドカードのシニアは安く設定されます。

つまり正確なデータがあればあるほど、適正な保険の価格が設定できます。そして、このようなデータを元にした料金設定は、保険会社、契約者どちらにとっても得をする形であるとも言えます。

iPhoneに限ったことではありませんが、多くのスマホにはヘルスケアに関するアプリが搭載されており、歩数、睡眠時間などが記録されます。Apple Watchなどの連携デバイスを使えば、心拍数や心電図なども測定することができます。

サードパーティのアプリも続々と登場しており、病院で測定した各種画像も含めた人間ドックのデータなどを保管できるものもあります。そうしたiPhoneに入っている各種健康に関するアプリが扱うデータの数は、モデルにもよりますが、新しい機種であれば150種類以上にもなります。

加えてアップルは、プライバシーに配慮しつつ病院や各種保険機関、研究機関、衛生機関などと連携することで、さらなる健康に関するデータの取得に積極的な姿勢を見せています。このような動きから、今後は「アップル保険」を出してくるのではないかと予測しています。

医療機関としても、個人に関する情報を保管し続けることは、セキュリティやプライバシーポリシーの観点からリスクが高い行為です。そのためアップル、iPhoneにその役を担ってもらい、必要なときだけデータを借りる方が好都合でもあります。

もうひとつ、アップルはグーグルやアマゾンと比べ、クラウドまわりの技術が弱いという実態があります。iPhoneにデータを集約しておくことは、自社の特徴からも理にかなっている戦略と言えるのです。

医療費が割引されることは考えにくいですが、今年一度も医療機関にかからなかったら、保険料を割引する。加えて、アップル銀行の口座にポイントを付与する。このようなサービスを提供してくることは、十分考えられます。

もっと言えば先のDaily Cashに紐づけ、1日1万歩以上歩いたら、ポイントを付与する。結果、健康になりやすく、支払い保険料も少なくなり、国としても医療への支出を減らすことができるので、国の支援も受けやすい。このような戦略で、さらにユーザーをiPhoneに囲い込んでいくことでしょう。

iPhone自体の保証に関する保険も、データを活用することで価格が最適化されることが考えられます。たとえば、これまで水没や落下による故障が多い人は、保険料の割引を低く設定する。逆に、この手のトラブルをほとんど起こさない人は割引率を高くする、といった具合です。

設定だけでなく、支払請求を受けた際の可否判断も、これから先の未来ではＡＩがより担っていきます。**マサチューセッツ工科大学（以下、ＭＩＴ）のデビッド・オーター氏やデビッド・ミンデル氏が、保険業界などへの影響を調査・予想した発表**[*9]では、具体的な大手保険会社でのＡＩ活用事例が紹介されています。

発表によれば、これまでは利用料が年間10億ドルの法律サービスを購入し、さらに数十人の弁護士や財務専門家を監査役として雇い、確認していたそうです。そこをＡＩにより自動化することで、年間数百万ドルのコスト削減を実現。精度においては85％以上を達成している、と述べています。

さらには、待ちではなく攻め。データを分析し、たとえば16歳を迎える子どもの家族に、自動車保険を提案する。あるいは、今後数日以内に請求書を送ってくるといった予測も行える。このような結果、雇用は確かに減るだろうと論じています。

一方でリアル、対面型のサービスはニーズがあるし、なくならないだろう。プライベートバンクのような、優良顧客向けのカスタマイズ商品の販売においては引き続き、人によるコミュニケーションが求められるとされています。

金融業界に限ったことではありませんが、顧客からの電話やチャットに応じる、コールセンター業務は大抵の業界で必要とされています。**スタンフォード大学のデジタル経済研究所などは、ＧＰＴモデルで訓練した対話生成ＡＩツールの生産性の影響について評価する実験**[*10]を行いました。

たとえば、入社直後からＡＩアシスタントを活用した人は、2カ月後に、ＡＩを使わずに半年間勤務した人と同程度のパフォーマンスを示したそうです。「上の者に電話を代わってほしい」との要求が減少すると共に、離職率も低下し、顧客・従業員両者の満足度アップに貢献している可能性もある、と主張しています。

一方で、ベテランメンバーに同ツールを使っても、影響はほとんどなかったそうです。生成ＡＩの有効性は、その人物のキャリアにも関係すると言えます。

グーグル、アマゾンも続々と参入

アップルだけでなく、同じくスマホを扱っているグーグル、さらにはアマゾンも近しいサービスを展開しており、アップルのように金融サービスに注力していくと考えられます。

グーグルは決済サービス、Google Pay（2023年にGoogleウォレットに改称）を展開しています。アップルがゴールドマン・サックスと組んだように、アメリカの大手金融機関などと提携し、金融サービスを展開していくと見られます。

いずれにせよ、アップルがやっているのであれば、やらないわけにはいきませんから、防戦的な形でサービスが始まる可能性があります。

一方で、アマゾンはエンドユーザー向けではなく、アマゾンに出品している事業者向けの各種サービスを展開しています。その一つにローンがあります。

一般的に、ローンの審査は時間がかかるものですし、提供された情報が果たして正しいのかどうか、与信を判断する際に難しい、「情報の非対称性（商品やサービスの売り手と買い手の間、もしくは企業と投資家間など、取引の主体間で保有する情報の量・質に格差があること）」が顕著な業務でもあります。

しかし、アマゾンに出品している事業者であれば、これまでどれくらいの期間出品しているのか、毎月の売上はどれくらいで、現在どの程度キャッシュを保有しているのか、そもそもどの程度のビジネスを展開しているのかなど、出品段階でのチェックも含め、一般的なローン審査に必要なデータが、契約者から提供されたものでなく、自社でアクセスできるデータとして、すでに掴んでいることになります。その結果、最適な利率や金額のローンを提供できるのです。

アマゾンの収益構造としては、Amazon primeに継続して入ってもらいたい。つまり、iPhoneを長く使ってもらうアップルと似たようなエコシステムを活用したビジネスモデルで儲けようとしています。

そのため今後、アマゾン銀行などのエンドユーザー向けサービスを提供し、Amazon primeの利用者を囲い込むという戦略は十分考えられるでしょう。

とはいえアップルはカード、そして口座も開設していますから、ひとつ攻勢をかけているとと言えます。というのも、アマゾンが後を追っている状況で、さらにグーグルが追いかけているのが、現在のビッグ・テックにおける金融サービスの状況だと、私は見ているからです。

ただしグーグルは先述したように、ChatGPTが今後ますます社会に浸透し、自社の検索サービスが使われなくなれば、それこそ稼ぐ先がなくなってしまいます。そのため現状優位なうちに手を打ってくる。そのようなアクションは十分考えられるでしょう。

ただしここでも、イノベーションのジレンマが出てきます。現状、グーグルは検索広告による収入が圧倒的ですから、アップルのようにエコシステムを強化するため、金融サービスにそこまで力を入れることができるかどうか。ChatGPTの今後の行方も含め、経営陣は既存事業の整理や、新規事業の優先順位付けを戦略的に行う必要があります。

一方で、金融機関側の視点で今後の未来を考えると、このようなビッグ・テックと組むことは多くの場合、重要であると言えるでしょう。金融機関の人に向けて、これからはスマホで完結するようなサービスを考えることが必要だと先述しましたが、仮にそのようなアイデアが生み出されたとしても、実装されるのはあくまでスマホ内です。

つまりユーザーからしてみれば、金融サービスはあくまでスマホアプリの一つに過ぎないのです。このような理由からも、金融機関が単体で大きな利益を生むようなサービスを手がけるのは、かなり難しい時代だと言えます。

もちろん、アップルをはじめビッグ・テック側も独占禁止法などを懸念しているでしょうから、アップルがゴールドマン・サックスと組んだように、新たな金融パートナーを探していることは想像に難くありません。

そしてこのような動きは、何もビッグ・テックだけに限りません。スマホを扱っているキャリア主導で行ってもいいからです。実際、ａｕを展開しているKDDIは三菱ＵＦＪ銀行と共同出資するかたちで、ａｕじぶん銀行を展開しています。

いずれにせよ、スマホをインフラとした金融業界の地殻変動は、これからもますます活発化していくでしょう。

ハーバード大学のマーク・アントニオ・アワダ教授らへのインタビューで構成された紹介記事[*11]でも同じような意見が見られます。タイトルは、「Is Amazon a Retailer, a Tech Firm, or a Media Company? How AI Can Help Investors Decide」。

日本語に訳せば、「アマゾンは小売業者か、テック企業か、それともメディア会社なのか？　ＡＩはどのように投資家の意思決定を支援するのか」といったものです。

記事によれば、アマゾンに代表されるように、ＩＴを活用した大企業があらゆる業界のビジネスを一手に担いつつあります。そのほか、小売業界の雄、ウォルマートも挙げています。

実際、決済サービスを行っているという点では、アップルとVISAの差はすでになくなっていると、インタビューを受けたハーバード・ビジネス・スクールのスラジ・スリニヴァサン教授は述べています。また、アマゾンが薬局ビジネスに参入していることも指摘しています。

そして、アマゾンのようなビッグ・テックが、複数産業の役割を担うようになっていくため、１つの領域でのみ戦ってきたカード会社や薬局などは、テックカンパニーに押しつぶされるリスクがある、と論じられているのです。

金融サービスはスマホアプリのひとつになる

今でこそ印象は薄れた感がありますが、一昔前は銀行や証券会社といった金融機関で働いている人たちは優秀で、ビジネスパーソンとして成功している。そのようなイメージ、ロールモデルがあったと思います。

もちろんヘッジファンドなどで、自分のリスクをかけた、切った張ったの日々を送っている方などは、過去形ではなく、現在でも相当優秀な人材が集まっているでしょう。一般的なメガバンクで働く人の多くも、それなりの大学を出ている人たちが大半であることは変わりません。

しかし、金融サービスはそもそもお客様である、人や企業の人生やビジネスをサポートする、縁の下の力持ち的な存在です。そのため、金融機関やサポートは、なるべく簡潔に意義のある形にしなければなりません。

金融サービスを使うのに、かかる時間も同じことです。できるだけ短くして、余った時間を本業や人生の楽しみに使ってもらう。これが、本来の姿です。そのため、これまで紹介してきたように、あらゆるサービスがスマホに集約され、簡便に使える未来はある意味、理想の姿だと言えます。

従来のようにお金をＡＴＭで引き出す、ローンを組む際に金融機関の窓口に行き、紙の書類に書き込んだり、身分証明書を見せたりする。金利がより低い住宅ローンに乗り替えたいと、休日を返上してあれこれと検討する。

このような時間は、本来勿体ないものです。なぜなら、これらはテクノロジーで理論上、効率化できるからです。そして実際、そのような世の中になりつつあります。

もうひとつ、金融に限ったことではありませんが、多くのサービスは自ら動かないと適切な情報が得られないケースが大半です。正しい該当者に適切な情報が届いているとは言えない状況があります。

たとえば、毎日真面目に働き、業績もよい中小企業の経営者が、正しい金利とそれなりの額のお金を借り入れできる。そのような人には、金融機関の方からメールなりチャットなり、連絡を送るようなアクションができます。

ここでもデータの活用です。おそらく現在は、画一的にサービスの情報をメールや電話で伝えているものが多いでしょう。

しかし、そうではなく一人ひとり、一社ごとのデータをしっかりと把握した上で、適切な人や会社に適正なサービスを通知していく余地があります。生成ＡＩを活用すれば、その通知をさらに個人個人の属性にあわせて適正化することができます。

事例を挙げれば、COVID-19の給付金で、不正受給が問題になりました。この手の問題は、スマホを利用し、スマホ内に蓄積されている本人のデータを照合すれば、起きにくかったでしょう。本人に記入させるから、トラブルや虚偽が発生しやすくなるのです。

奨学金の受給でも、毎年書類を書くような手間をかけることなく、高校や大学の成績とデータ連携し、自動で可否を判断。本人は特に申請せずとも、口座に振り込まれるようになる。当然、本人はこれまで申請に要していた時間を学業、あるいはアルバイトなどに使うことができるようになるはずです。

金融は経済の血液ですから、金融サービス自体がこの先すぐになくなることは難しいでしょう。それどころか、より積極的に循環させていく必要がある。

そのためには、従来の形式を取っ払い、よりスピーディーで正確に各種金融サービスを提供できるような、スマホなどのデジタルでのやり取りが、今後はスタンダードになると思いますし、その動きが進むことで、金融サービスはより活発化することでしょう。

ブロックチェーン、Web3は過度な注目を浴びた

金融業界のトピックとして、ブロックチェーンや、その技術の総称でもあるWeb3の技術を使ったメタバースなどが、一時期盛り上がりを見せていました。

フェイスブックが社名をメタに変更したことも、大きな話題となりました。

しかし現在、Web3まわりの技術やサービスは、大型暗号資産交換所の破綻や、米国証券取引委員会SECなどからの規制強化の動きを受け、世界的に逆風が吹いています。言葉と概念だけが先行し、テクノロジーやプロダクトの実体、実装が伴っていなかったのが理由です。

このように、テクノロジー自体がユニークであったり画期的であっても、社会の仕組みや時代と合致しなければ、新たな未来は創造されません。

Web3やブロックチェーンに限ったことではなく、VRやARといったXR関連の技術も同様です。テクノロジーとしては確かに面白い。3Dも魅力的です。

しかし、ユーザーがこれまで2Dであったものを、高いお金を出してVRデバイスを購入してまで、見たいかどうか。ゴーグルをかぶりながらでないと、現時点では利用で

きない、デザインならびに体験を、社会やユーザーが許容するのか。

これらは、テクノロジーとはまた別の話です。このようなこともあり、いわゆるメタバース技術の社会への実装は、今ひとつ進んでいないといえるでしょう。今後の展開には、毎日自然に使うような目的やコンテンツが必要となってきます。

ブロックチェーンが世に出たのは、今から15年ほど前の2008年ごろです。

中央集権的であった金融業界を、テクノロジーの力で変えることができないか。このようなコンセプトのもと、**サトシ・ナカモトという謎の人物が突然出した10ページ弱の論文**[*12]で発表されたものです。

当時、金融業界は、リーマン・ブラザーズを始めとした金融機関の破綻をきっかけに、既存の金融の仕組みなどに対して、多くの人が不信感を持っていました。そこに、ビットコインが現れたのです。

そして、サトシ・ナカモトの論文を元に実際にシステムを開発してみると、できてしまった。その仕組みをブロックチェーンと呼び、そうしてブロックチェーンの仕組みを使った中央集権的ではない、「DAO（Decentralized Autonomous Organization。以下、

DAO)」と呼ばれる分散型の組織、仕組みが運営する概念が出てきました。

デジタルアートの信頼性を担保するNFTなどの技術も同様で、これらブロックチェーン、NFT、DAOなどの技術や仕組みは総称して、Web3と呼ばれています。Web2.0とは名付け親が違うため、一貫性のある名前ではなく、単にマーケティングに使われる流行り言葉の側面が強いです。

ビットコインは中央集権的でない目的で運営されます。

実際、初期のビットコインには金銭的価値はありませんでした。

これは有名な話ですが、ピザ2枚とビットコインを交換したのが始まりだと言われており、当時のビットコインを保有し続けていたら、ピーク時でおよそ70億円（2023年7月時点では40億円ほど）という時期もありました。その結果、投資対象になると多くの人が興味を持ち、イーサリアムなど他のデジタル通貨も次々と登場。購入する人が殺到する盛り上がりを見せます。

しかし、「ピザ2枚」のエピソードからも分かるように、ビットコインなどの仮想通貨は、先に購入した人が得をする仕組みであり、投資というよりは投機に近しいものです。言葉を選ばずに言えば、ギャンブルや詐欺要素が強いと言わざるを得ないものも見られます。

次第に、実体に気づいた人が続々とマーケットから撤退。その結果、一時期はかなりの高値をつけていた価値が暴落。いわゆるビットコインバブルが弾けたのです。

もうひとつ、本来はハッキングなどされない堅牢なシステムである、というのも強みでした。実際、ブロックチェーンの仕組み自体は確かに堅固だと言えるでしょう。

しかし実際には、その仕組みの外のサーバーやコールド、ホットウォレットと呼ばれる、関連するまわりのデバイスや保存形式がクラッキングの攻撃を受け、ビットコインが盗まれるといったトラブルが発生し、信頼を損ねました。

さらに、アメリカではこれまで仮想通貨は証券という扱いではなく、ある意味グレーゾーンで取引されていました。ですが、明らかに証券の要素が強いため、SECなどが規制するとの動きも耳にします。

このような数々のマイナス要因により、ビットコインなどさまざまな仮想通貨の取引所サービスを手がけるコインベースの株価は、上場時と比べ一時は10分の1、直近では回復したものの、それでも当初の3分の1という状態に。2023年の初頭には、日本からの撤退も発表されました。

ブロックチェーンの技術自体は堅牢ですから、仮想通貨だけではなく、不動産などにも応用しようとの動きが一時期ありました。

けれどもやはり、仮想通貨でトラブルが多発したこと。そもそもSECなどに正式に認められたものではなく、何かトラブルが発生した際には保護されないこと。このような理由もあり、ブロックチェーンの技術そのものも、現在はいまいち盛り上がりを欠いている状態です。

日本は技術の目利きなしに過度に盛り上がっている

ブロックチェーンの衰退はアメリカでは顕著で、すでに過去の技術だと捉えている人も少なくありません。

ところが、日本はなぜか、ビットコインはそこまでではありませんが、Web3に関しては未だに過度な注目があります。

テクノロジーの知見のない議員さんたちが中心となった政府、あるいは有識者と呼ばれるような人たちが、Web3関連の推進委員会や研究会を設立したりしています。メディアや書籍などで、これからの時代はWeb3がくる、といった論調を繰り返している人も見られます。

岸田文雄総理も「Web3は日本の経済成長につながると確信している」といった主旨の発言をしています。

このような動きや論調を、私は非常に危惧しています。

テクノロジーベースのベンチャー投資家や実業家は、妄想というよりも社会への実益に焦点をあてています。

しかし、日本ではそもそも理系のベンチャー投資家が少なく、また実益に結びつきにくい妄想を語る評論家が、なぜか「専門家」として取り上げられます。そして、メタバースやWeb3を煽った識者が、うまくいかなければ、生成ＡＩなどに次の新技術の「専門家」として次々と乗り換えていきます。

これは、取り上げるメディアやコンサルティング企業にも、状況を悪くしている要因があります。その技術自体が浸透しなくとも、視聴率やプロジェクト受注ができてしまえばいいと考えているからです。

たとえばNFT。こちらもビットコインなどの仮想通貨と同様、購入しておけばいずれ大きな価値に膨れあがる。そのような触れ込みを聞き、購入した人が大勢いるようですが、現在の価値は、多くのものがおそらくピーク時の100分の1ほどまでに減少しているでしょう。


政府や有識者が後押ししている姿を見て、自治体が導入する動きもありました。新潟県にある限界集落の山古志地域（旧山古志村）です。

同地域は高齢者率が高まったこと、20年近く前に発生した新潟県中越地震の影響もあり、震災以前2000人以上いた住民は、800人ほどまでに減少しました。

このままでは地域の存亡に関わると、名産である「錦鯉」で町おこしをしようと考えたのです。そこで活用したのが、NFTの技術です。名産品の錦鯉をデジタルアートとして発行、販売していく取り組みでした。

デジタルアートを購入してもらうのと同時に、あくまでデジタル上ですが、地域住民にもなってもらう。町に愛着を持ってもらうことで、実際に訪れてもらいたい。そのような狙いもあったようです。

地方創生ストーリーとしては、確かに興味深い取り組みではありますし、メディアでも話題になりました。しかしその後、ＮＦＴの錦鯉が高額で取引されたとのニュースは多く聞きませんし、他の自治体も続かないところをみると、私の憶測も含みますが、うまくいっていないように思えます。

ちなみにアップルの各種サービスにおいては、特にブロックチェーンの技術は使われていません。

話題になるかは、社会実装されたり、社会に浸透したりするかに関係がありません。それが現実なのです。現在、異常とも思える盛り上がりを見せている生成ＡＩに関しても、同じようなことが言えます。「熱狂＝普及」とは限らないことを、しっかりと覚えておく必要があります。

一方、浸透しそうなものは、コンサルティングではなく学術業界から読み取れることもあります。たとえば、**ノーベル物理学賞を受賞した小柴昌俊氏の出身校でもある、ロ**

チェスター大学のサイモン・ビジネス・スクールの金融学部ならびに、スタンフォード大学の経営科学・工学部による取り組み[*13]です。

こちらは、金融機関でバリバリ働いているファンドマネージャーが持つ金融スキルにAIは役立つのか、という研究内容でした。結論としては、AIによって予測された各ファンドの好成績状態は、3年以上も持続するとの結果が得られたそうです。

つまり、このようなアカデミックな機関の取り組み、研究から分かるように、資産形成や投資といった金融業界においても、機械学習、AIがこれからの未来では活用されていく可能性が高いと言えるでしょう。

第3章

製造業界

あらゆる領域で次世代テクノロジーが革新をもたらす

AIがあらゆる領域で浸透する

製造業の未来は、大きく2つのテクノロジーが変革していきます。

1つは、生成AIも含めたAI関連技術。もうひとつはロボティクスです。

まずはAIからご紹介しましょう。結論から言えば、これからの製造業界では、あらゆる領域でAIの活用が進みます。

たとえば、デザイン、素材生成、生産ラインの最適化、在庫管理などです。AIによる自動・効率化、とも言えるでしょう。

製造業における起点、最も大事な要素とも言えるデザインは、生成AIによるサポートを受けることで、より多くのアイデアを出せたり、リデザインをスピーディーに行えたりするようになります。

「20代に受けるデザインを考えて」。このようなプロンプトを、生成AIに投げるような動きも出てくるでしょう。

素材においては、後述する医療業界の創薬とも近い取り組みですが、AIが新しい化合物を組み立てることで、新素材の開発などが進むと思われます。

各種ＩｏＴデバイスを工場に導入するスマートファクトリーも、ＡＩを活用することで、さらなる進化を遂げるでしょう。サプライチェーンにおける配送のＡＩ予測などです。

「〇日の〇〇時に到着する」といった予測だけでなく、天候悪化や事故など、不測の事態を考慮して最善の判断につなげることができますから、熟練者に頼っていた業務を、ＡＩが担ってくれるようになります。

実は、これらの取り組みはすでに実装され始めています。

たとえば、北米最大級の規模を誇る物流会社、ＪＢハントの取り組みです。同社はグーグルと提携し、グーグルが持つGoogle Cloud（Databricksの技術をクラウド上で展開）やＡＩといったテクノロジー、ソリューションを活用しています。

受注、梱包、加工、流通、商品管理、輸送、配送といった、物流に関する各種作業を統合し、それぞれの業務でサイロ化していたデータを包括することで、あらゆる業務、フェーズでの最適化を目指しています。

国内では、建築材料や住宅設備機器を扱う業界最大手のLIXILが、ＡＩを使った建材製品のサプライチェーン最適化に向けた取り組みの試験運用を、2023年の4月からスタートしました。

サッシやドアなど約120万、230万SKU（Stock Keeping Unit：受発注や在庫管理を行うときの、最小の管理単位のこと）の製品が対象で、利用するAIは大手コンサルティングファームPwCが提供する、「Multidimensional Demand Forecasting」というシステムです。

工場や倉庫は不夜城になる

続いてはロボットです。これまで人が担っていた業務を、ロボットが代わりに行ってくれるようになります。ロボットは24時間働き続けることができますから、工場や倉庫は完全な24時間体制になるでしょう。

これまでも24時間体制で稼働する工場や倉庫は多くありましたが、夜の時間帯は給与も高いですし、そもそも人が集まりにくいという難点があります。そのような課題を、ロボットが解決するのです。

究極的には人が一人もいない、不夜城的な工場や倉庫で、ロボットだけがひたすら稼働している。そのような未来も、そう遠くはないと考えています。

ロボットは業務や用途に応じ、いくつか種類があります。人の手を巨大化したようなアーム型と呼ばれるロボットは、自動車の組み立て工場などで活躍します。こちらは、すでに導入している企業も多いです。

重い物を専門に運ぶロボットも、さらに進化するでしょう。これまでは人がトラックやフォークリフトで行っていた作業を、人を介さずに自動運転の乗り物やデバイスが担うようになっていきます。

アマゾンの倉庫では、客が注文した商品を広大な倉庫の中から見つけ出し、仕分け場まで運ぶ「Goods To Person」というロボットがすでに活躍しています。

こちらは、製品が入った棚をそのまま運んでくる自走型のロボットで、「Drive」と呼ばれています。アマゾンの場合は、荷物棚の下にロボットが入っていますが、逆に棚を上から吊って移動するようなタイプのロボットもあります。

アマゾンの倉庫で活躍するGoods
To Personロボットの「Drive」

出典：アマゾン

運ばれてきた荷物も人ではなく、アーム型のロボットがピッキングして仕分けていきます。アマゾンの倉庫では、同作業を「Sparrow」というロボットが担っています。

アマゾンのような、多様な商品を扱う倉庫では、商品の形状が一つひとつ異なります。そのため、ロボットでのピッキングは難しく、人が行った方が効率的だと考えられていました。

しかし、テクノロジーは私たちの期待を上回るレベルにまで進化しました。これはテキサス州の試験的な施設の事例ですが、物品を掴むためのパーツを吸引チューブにするなど改良を重ねることで、Sparrowで

アマゾンの倉庫で活躍する仕分けロボット「Sparrow」

出典：アマゾン

あれば、倉庫に1億点以上ある在庫の約65％を扱えるそうです。この数字は、今後さらに高まっていくはずです。

一方で、どうしても人にしかできない作業や業務は、近い未来の製造現場でも一部残るでしょう。現にテスラCEOのイーロン・マスク氏も、当初はロボットですべての業務を自動化しようと試みていましたが、うまくいかなかったと発言しています。

結果として、本人も含めて慌てて人員を導入し、なんとか生産を間に合わせたものの、「私は間違っていた」というエピソードを残しています。

不良品の検知もAIやロボットが行う

移動、ピッキング、組み立てだけでなく、できあがった製品の状態や不具合を検査するのも、これからはロボットが担います。AIを搭載したカメラなどです。

そもそも不良品のチェックは、人が見て分かるレベルであれば、高精度のカメラやAIでもできるものが増えました。

そうではなく、これまで人の目で判断することが難しかった。たとえば半導体のような、微細な製品の良し悪しの判断をAIによる画像解析で行うような使用法が、ますます増えていくと思われます。

半導体以外にも、カーペットに混入した異なる色の繊維をAIが検知したり、筐体の歪みなどを検知する。そのような利用法も、次々と出てきています。

ロボティクスやオートメーション関連企業の扱いを得意とする、アメリカの運用会社、ロボ グローバル。**同社のグローバル戦略アドバイザーであり、MITのコンピューターサイエンスおよびAI研究室所長も務めるダニエラ・ラス教授の質疑応答「The**

Future of Robofics & AI Investing: A Q&A with MIT's Daniela Rus」[*14]を紹介します。

同内容では、「AIとコンピューティングにおける大きな進歩は、さまざまな産業やセクターにおける業務改善に貢献する」「特に、輸送や製造業での発展が著しい」「マップ作成、位置特定、経路計画などの問題に対する解決策、自動設計、高速製造技術、制御技術など」と述べられています。

先ほど紹介したアマゾンの自動ロボットに近しい、イギリスの「Ocado《オカド》」の取り組みについても言及しています。なおOcadoはイオンと組み、今まさに次世代の配送センターを建設中で、2023年中に稼働予定です。

【IT／コンピューター】半導体を制するものが業界を制する

IT／コンピューター業界においては、半導体が大きなひとつのテーマであり、半導体を制するものが業界を制する。そういっても過言ではありません。

ゲームで多用されるグラフィックス処理などを、より高速に行うために開発されたGPU（Graphics Processing Unit。以下、GPU）は、昨今盛り上がっているAI、ディープラーニングの演算処理にも適するため、以前にも増して価値が高まっています。メーカーとして、エヌビディアの時価総額が一時１００兆円を超えたことも期待の表れです。

特に、多くのパラメーターを要するGPT-4などの生成ＡＩは、高性能の半導体が多ければ多いほど、基本的に処理スピードが速くなります。そのため、生成ＡＩに関するサービスを手がけている企業は、外部に委託するか、もしくは多額な資金を注ぎ込み、ＧＰＵを購入しているところもあります。

そうしてＡＩのさらなる学習を迅速に実現することで、より高品質な生成ＡＩを生み出す取り組みに躍起になっています。その結果、以前にも増して半導体、特にＧＰＵの需要が高まっています。

一方で、ＩＴ業界以外では自動車業界などがいい例ですが、以前であればハードウェアの塊のような製品であったものに、ソフトウェアが搭載されるようになってきました。ハードウェア中心ではなく、ソフトウェアを統合したものづくりにシフトしていく。そのような動きもトレンドのひとつです。

車体そのものに、半導体やソフトウェアが実装されたデバイスを取り付け、クラウドだけではなく、車体でソフトウェア的な処理をできるような製品もかなり増えてきました。

このような背景から、単にクラウドのデータセンターで用いられるＧＰＵ、ＡＩに使われる半導体だけでなく、自分たちのサービスに最適な半導体を設計し、他社との差別化を図りたい。そういった企業が次々と出てきています。

アップル、グーグル、アマゾン、マイクロソフトなどがまさにそうで、iPhoneやMacBookには、アップルオリジナルの半導体が使われています。グーグルのスマホ、Pixelシリーズも同様です。

マイクロソフトはオープンＡＩとの協業、ChatGPTの各種製品への実装に積極的であり、ＡＩの処理に特化した「Athena《アテナ》」という半導体を、２０１９年ごろから開発しています。現在は、GPT-4が最適な性能を発揮する半導体、ＡＩチップの開発を進めているでしょう。

半導体と聞くとインテルが一番なのでは、と思う人がいるかもしれません。

確かにインテルは、一般的に使うパソコンでは現在も広く用いられており、ＣＰＵ（Central Processing Unit：パソコンの演算や制御の中心となるデバイス。中央演算処理装置とも呼ばれる。以下、ＣＰＵ）のシェアはあります。

しかしＡＩ関連に使われやすいＧＰＵという点では、特に画像系の処理ではエヌビディアが圧倒的ですから、今後必要とされる半導体として、勢力図が塗り替わる可能性は十分あります。

約30年前にはＮＥＣや東芝など、日本の半導体メーカーが世界を席巻していましたが、今ではどの企業もトップ10に入っていません。それだけ、これからも大きな変化があり得るということなのです。

【ＩＴ／コンピューター】
量子コンピューターが１万年かかる計算を２００秒で速攻解決？

「量子コンピューター」も、コンピューター業界で最近注目を集めるテーマ、テクノロジーのひとつです。

通常のコンピューターと量子コンピューターの違い

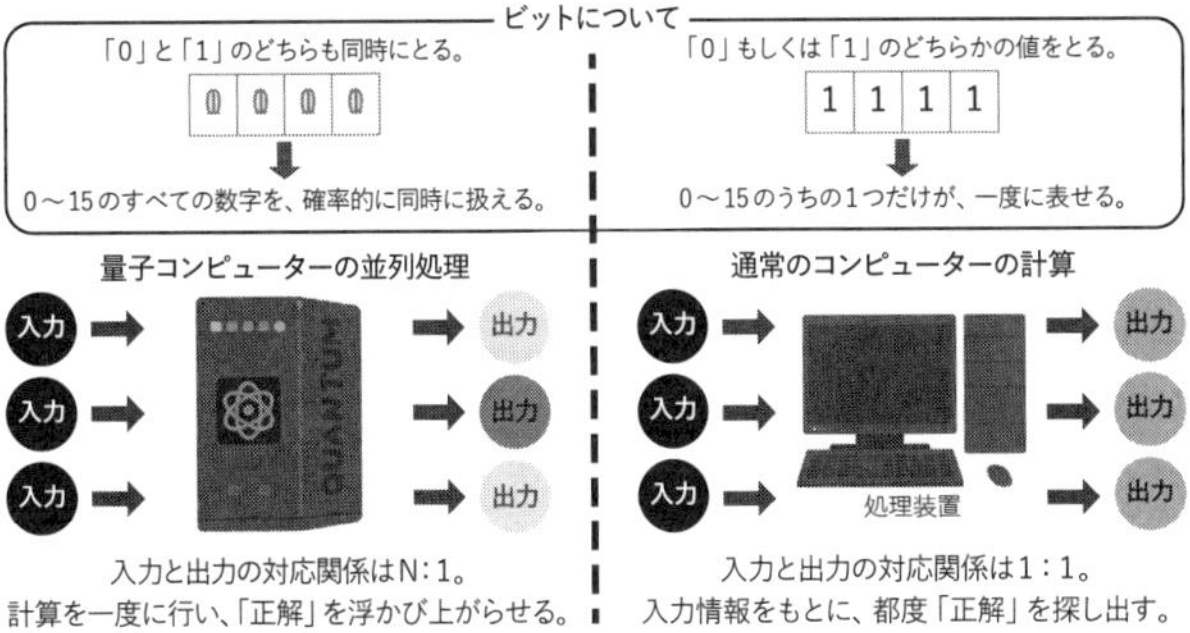

出典：三菱総合研究所「量子コンピューターの何が『すごい』のか――従来のコンピューターとの違いとは」（山野宏太郎、2020年2月26日公開）をもとにSBクリエイティブ株式会社が作成

量子コンピューターとは、現在使われている一般的なコンピューターが「0」「1」の2つの組み合わせで処理を行うのに対し、一度に複数の処理を行うことが可能です。現在のコンピューターがシリコン、半導体で処理を行っているのに対し、量子を使うことで実現します。これまでの電子回路によるコンピューターとは原理も異なり、量子の性質を利用したコンピューターと言えるかもしれません。

一方で、量子コンピューターだからといって、これまでゼロイチで行っていた計算すべてのスピードが速くなるわけではありません。あくまでも、一度に処理できることが増えた性質を活用するのが、量子コンピューターの特徴だからです。

たとえば、確かにこれまでのコンピューターでは解くのに苦労していた、多くの時間がかかっていた問題が、大幅に短縮された時間で解ける可能性は十分にあります。

候補として、複数ある店をどの順番で回ると一番効率的なのかを問う、巡回セールスマン問題。これまでのコンピューターであると、店の数が増えれば、指数関数的にルートの候補が増えていきます。さらに渋滞状況などを考慮すると、計算処理が飛躍的に複雑になります。こういった組み合わせの最適化というところに、効果を発揮します。

　そういった点からも、量子コンピューターはこれまでのコンピューターを凌ぐ、スーパーコンピューターであるという、少し簡略化しすぎたイメージを持たれる人が少なくないかもしれません。

量子コンピューター自体は、真新しいテクノロジーではなく、日本でもNECなどが1980年代ごろから研究に取り組んでいました。

バブルの崩壊などにより、次第に注力しなくなったと思われます。ですが研究は続けられ、最近ではIBMやグーグルなどでも開発が行われていました。

ところが今、再び盛り上がりを見せています。**きっかけとなったのは2019年の10月に、グーグルが示した「量子超越性」です。量子超越性とは、量子コンピューターの計算能力が従来のスーパーコンピューターよりも優れていることを示します。このことを主張する論文が発表された**[*15]のです。

この論文によれば、グーグルが独自に開発した量子コンピューターが、スーパーコンピューターでも1万年かかる計算を、わずか200秒で解いたそうです。

関連するベンチャーも登場しています。カナダのディーウェーブシステムズは筆頭格で、NECと2020年に協業しています。

果たして、量子コンピューターは多くの人が期待するほどの高性能なコンピューターなのでしょうか？

たとえば、組み合わせが非常に膨大な計算量を必要とする、新しい化合物を生み出す研究開発などでの利用です。そのほか、素材でも構いませんし、創薬といった分野でも使われる可能性は考えられます。

ただし現時点では、トラブルやエラーが多く、一般的なゼロイチのコンピューターと比べると、安定稼働に課題があります。

もちろん、これらの技術的なネックは今後解消されていくでしょうが、まだまだ研究段階、というのが実情でしょう。

一方で、COVID-19に効くワクチン開発など他の技術がそうであるように、各種課題が多くの団体の支援によってスムーズに解決され、世間があっと驚くような成果を近いうちに出すこともあり得ます。

【自動車】レベル5の完全自動運転車が街中を走る?

現在ではレベル2~3に留まっている自動運転ですが、いずれはドライバーがハンドルに触ることなく、アクセルやブレーキにも一切タッチしない。そのような完全自動運転のレベル5を、実現する日が来る可能性が高まっています。

自動運転のレベルは0~5の6段階になっており、高速道路での自動運転や衝突防止、車線キープ機能などによってレベル分けされています。現在は、レベル2~3程度の機能を搭載した車の社会実装が進んでいます。

私はテスラに乗っていますが、おそらく自動運転のレベルは2程度。直線だけでなく交差点でもハンドルに手をかけることなく、自動でスムーズに曲がる機能も一部利用可能でした。

アメリカや中国の一部の地域では、レベル4の機能を搭載した無人の自動運転タクシーやシャトルバスなどの運行も始まっています。

シボレーやキャデラックといった車種が有名な、アメリカの大手自動車メーカーであるGMが買収した、クルーズというベンチャーが牽引しており、サンフランシスコの市内で「ロボタクシー」という自動運転タクシーを走らせています。

中国では以前から、ITの最先端都市である深圳《しんせん》などが取り組みを行っていました。そして、2023年に入ってからは首都の北京でも、完全自動運転のタクシーの営業が始まりました。しかも、取り組んでいるのは自動車メーカーではなく、IT大手企業の「百度《バイドゥ》（以下、バイドゥ）」です。

スマホでタクシーを呼ぶのは有人タクシーと変わりませんが、迎えに来たタクシーには、当然ですがドライバーはいません。乗車予約も決済もすべてスマホで完結。乗り心地も含めた運転は、人のそれと大差がないといえます。

一方で、この先完全自動運転のタクシーや車両がすべて、現在の車両に取って代わるかというと、いくつか課題があると考えています。まずは技術的な側面です。ハードウエア的には、ほぼ問題ないでしょう。それよりも重要なのはソフトウェアです。目の前に人や自転車が飛び出してきたときに、咄嗟に判断できるかどうか。動作以前の、状況を認識するAIの判断処理能力は、さらに精度の向上が求められ続けるでしょう。

特に東京などの都市部は、人、自転車、自動車などが込み入っていますから、自動運転のハードルが高いことは明らかです。

逆に、判断材料が少ない高速道路での実現は、もうすぐそこまで来ているといえます。

MITのジョン・J・レナード氏、デビッド・A・ミンデル氏らが発表した研究[*16]でも、近い内容が書かれていました。論文によれば、完全な自動運転システム、つまりレベル5が広く社会に実装されるまでには、少なくとも10年以上はかかるそうです。

一方で、2025年までにレベル4のタクシーや「ライドヘイリングシステム（日本外でウーバーなどが展開する大規模な配車サービスのこと）」の数が徐々に増加し、都市部全体に広がり、シャトルバスや公共交通機関、長距離の高速道路ルートではトラックの自動運転化が進む、と論じています。

ＡＩではこれまで難しいとされていた、人にしかできない判断をＡＩにさせようとの取り組みを行っているグループもいます。**トロント大学や、エヌビディアのユウ・ジーディン氏らの「VoxFormer《ヴォックスフォーマー》」と呼ばれる取り組み**[*17]です。

空間認識を行うために、２Ｄ画像をベースに見えない部分を補完し、３Ｄモデルとして認識するシステムの研究が進められているそうです。

後述するグーグルの新サービス「Immersive view」にも近い技術ですが、進化すれば、推測した上での風景や、目の前の事象をＡＩが描くことができるようになり、さらなる自動運転の安全・安心につながると期待されています。

もうひとつ、ユーザーが無人の自動運転タクシーに乗りたいと思うかどうか。社会的なニーズがあるかどうかという点も、越えるべきボトルネックでしょう。

実際、自動運転タクシーが走っている地域に住む友人に話を聞くと、物珍しい、興味はあるといった声がある一方で、やはり無人は怖い、といった意見も聞かれるからです。価格も、現時点では一般的なタクシーと変わりません。であれば、安全が担保された従来の有人タクシーを使いたい。これが、人の心理だと思うからです。

この先、無人タクシーが広がるためにはキャンペーンなどを打ち、料金を大幅に下げる。その上で安心安全であることを理解してもらい、ユーザー数を増やしていくといった取り組みが必要でしょう。

日本の場合、タクシー料金の約7割はドライバーの人件費だと言われています。無人タクシーの台数が増えていくことで、従来のタクシーよりも安価な料金で提供しても利益が出る。そうなれば、広く社会に浸透していく可能性は十分にあります。

また、日本においてはさらなるハードルがあります。それは法律です。

加えて、今でこそだいぶ改善したようですが、ソフトウェアを過度に軽視したハードウェア部門が強いという業界の歴史があります。

そのほか、**先のMITの論考**[*18]によれば、自動運転化は事故や死亡者数の減少、時間の有効活用、そのほか駐車場の需要の低下、環境への負担軽減、都市の景観の変化をもたらす、とも論じています。

一方で、雇用の減少や新たな道路の混雑、公共インフラの崩壊など、懸念点があることもあわせて指摘しています。先述したロボティクス化により、これまで工場で自動車を組み立てていた人が、職を失うことだろうとも言及しています。

ただこのような未来、懸念は、私が繰り返し伝えていることでもありますが、自動化を監視するなど、新たなカテゴリーの仕事が創出されると、あわせて論じられているため、そこまで不安視することではない可能性もあります。

パソコンができたといっても、事務作業は激減せず、代わりにコンサルティングと称してパソコン作業を支援する職業も出てきているからです。

【自動車】ハンドルもアクセルもないスマホのようなアップルカーで友だちとドライブに

自動運転も含め、自動車の製造過程や評価ポイントが、これまでと大きく変わってきています。今まで、自動車を開発する上で一番難しいとされていたのが、内燃機関の技術の塊であるエンジンでした。

しかし、ＥＶになればモーターがあればいい。端的に言えば、モーターとバッテリーさえあれば、それなりの車を開発できる。その結果、これまで自動車を作っていなかったような企業や、作りたくても作れなかった企業が、続々とマーケットに参入してきています。

中国では先述のバイドゥ。ベトナムでも同国最大の財閥ビングループが、２０１７年にビンファストという自動車メーカーを設立し、東南アジア最大の自動車メーカーになることを掲げています。

ベトナムは国策として、ＥＶをビジネスの中心にしようと意気込んでおり、当面目指している生産台数は、年間数十万台規模。すでに年間15万台の生産を可能とする工場を、アメリカのノースカロライナ州に建設中です。

乗り物の大革新には、自動化も関係しています。この先、完全自動運転が実現すればハンドル、アクセル、ブレーキはなくなるでしょう。その結果、人が運転する機会がなくなります。すると、車は何で評価されるようになるのでしょうか？

たとえば、移動している間に室内でいかに楽しく、快適に過ごすことができるか。乗り心地という点ではもちろん、ハードウェアの技術も関係してきますが、それ以上に車内の空調や音楽といった体験面が重視されるでしょう。ましてやハンドルはないわけですから、前方一面にはモニターが掲げられ、映し出された映画を観ながら移動する。このような未来が想像できます。

実際、そのような車を打ち出している企業もあります。ソニーとホンダが共同出資して2022年の9月に設立した、ソニー・ホンダモビリティが手がける「AFEELA《アフィーラ》」です。

AFEELAではまさに、運転席から助手席にかけて大きなディスプレイがデザインさ

ソニー・ホンダの新EVブランド「AFEELA」

AFEELAの運転席まわり。フロント一面にディスプレイがデザインされており、車内というよりも室内にいるかのようなラグジュアリー感がある。
出典：AFEELA公式サイト

れています。ディスプレイは後ろの席にも取り付けられていて、ソニーらしく、PlayStationも楽しめるそうです。

AFEELAを一言で説明すれば、スマホと車をドッキングしたエンタメコンテンツ、と言えるでしょう。以前、iPodと携帯電話が別々のコンテンツであったところに、アップルがiPhoneを登場させて一体化させた構図、戦略と近しいのです。

車に対する評価も、今後はエンタメのボリュームが増えることになりそうです。

一方で、金融業界の章でも触れましたが、異業界のソニーが自動車を販売していくことは、それなりの壁というか抵抗圧力も大きいものです。だからこそ、ホンダと手を組んだと読めます。

ソニーはもともと、単体でVISION-SというAFEELAのコンセプトの車を作っていました。

その実験的な時期を経て、いよいよ本格的な発売に向けて、ビジネス面でも動いたわけです。実際、AFEELAは2025年に予約が始まり、2026年ごろに実際に発売される予定となっています。

ソニーと同じくアップルも、以前から自社オリジナルの車を発売すると噂されていました。当初は、2025年発売予定とメディアによって報道されていましたが、現在では2026年ごろに、完全自動運転のレベル5を搭載した車両を販売する予定だとも言われています。

仮にアップルカーと呼ぶとすると、アップルカーは当初、レベル5の自動運転車で、ハンドルがない設計でした。

しかし開発を進めていくうちに、技術だけでなく法律なども含め、越えるべきさまざまな壁にぶつかったと思われます。

その結果、現状では通常の自動車と同じように、ハンドルやアクセル・ブレーキが装備されたスタイルになる可能性が出てきています。

とはいえ、もともとのビジョンはハンドルのない、しかもアップルですから、多くの人の期待に応えるであろう斬新なデザインであり、UIやUXも抜群に優れている。そのような車であることは予想されます。

ChatGPTが一気に世の中を席巻したように、技術の進化というのは一次関数のような直線的なものではなく、突然、指数関数的に伸びることがあります。

アップルはハードウェア、センサーまわり、ソフトウェア関連のアルゴリズムなど、それぞれの領域で研究開発を進めていると思いますが、特にアルゴリズムにおいては弱かったのです。そのボトルネックが突如解消されることは十分あり得ます。

これまでの稼ぎ頭だったiPodを犠牲にして出したiPhoneで、世間を驚かせただけでなく、世の中を一気にゲームチェンジしたように、自動車業界を超えたモビリティ自体で大きな地殻変動を起こす。そのような製品、サービスをアップルが発表してくることは、十分に考えられます。

ところで、日本でEVが浸透しない理由のひとつには、充電ステーションの不整備があります。環境への配慮からEVに興味がある。でもよく遠出をするので、充電ステーションの少なさが不安。そのように思う人も多いはずです。また、チャージ料金を気にする人も少なくありません。

このような問題に関しては、今まさに政府が補助金なども含めて整備を進めている段階ですから、今後一気に広がっていくと思われます。そしてそのスピードが、EVの競争スピードに間に合うかどうか。注目すべき点は多々あります。

対してアメリカ、特にカリフォルニア州では、街のあちらこちらに充電ステーションが整備されています。スーパーマーケットや飲食店など。感覚的には、日本の一般的なガソリンスタンドの多さに近づきつつあります。

実際にEVを運転してみると、ガソリン車で生じる振動や音を感じません。自宅に充電機能が整っていれば、ガソリンを入れに行く手間が省けます。エンタメ空間としての魅力を追加し、これらをトータルすると、これまでのガソリン車よりも優れる可能性があります。何より、環境保護を主な理由としたEV化や脱炭素の波は、避けて通れないでしょう。

【スマホ／通信】あらゆるキーデバイスとなる

すでにそうなりつつありますが、スマホはあらゆるサービスとのタッチポイント、キーデバイスとしての存在感をますます増していきます。自宅や車の「鍵」を開けることに始まり、自宅にいながら車のエアコンを調整ができる。

当初は、テスラなど一部の車に限られていた機能ですが、今では多くの車でスマホとの連携、活用が広まっています。

回線がつながらないなどの問題は、スマホに限ったことではありませんが、モバイル通信の弱点も克服されつつあります。というのも、宇宙空間に浮かぶ衛星を使うことで、これまで回線が通じづらかった遠洋や山頂でも、スマホを使うことが可能になるからです。

実際iPhoneの最新機種であれば、SOS時の連絡に限られますが、すでに衛星通信を利用することができます。いずれは標準仕様になるでしょう。

もともと衛星による通信は、軍事や国、研究機関といった、限られた領域でのみ使われていました。しかし、スペースXを手がけるイーロン・マスク氏が、そのような常識をいい意味で打ち破ってくれました。

なぜならスペースXが、これまでと比べて格段に安価で衛星を打ち上げることを可能にしたからです。そしてスペースXはそれを活かし、「Starlink《スターリンク》」という衛星通信サービスに着手しました。

こちらは、2020年10月ごろにアメリカでβテストが始まったサービスですが、2022年10月からは、日本でもサービスの提供が始まっています。ロシアからの攻撃を受け、通信インフラを破壊されたウクライナに、無償で提供したことも話題を呼びました。

スターリンクの魅力は、衛星による通信であるため、空が開けている場所であればほぼつながることです。実際、先ほど紹介したように外洋を横断中の冒険家が、スターリンクを使って通信していています。

山も同様です。エベレストのような高い山でもあってもスターリンクを使えば、スマホが使えるようになります。より安全で効率的な登山はもちろん、事故が発生した際の救助などにおいても、欠かせないものになるでしょう。

すでに、導入を進める動きも見られます。KDDIはグループ会社や、登山アプリを運営するヤマップと協力。２０２３年の夏から登山者に対し、スターリンクを活用した通信の提供を「山小屋Wi-Fi」の名でスタートします。ＪＡＬの１２３便が墜落した御巣鷹山でも、慰霊登山をする人が、高齢などの事情で実際に山を登れない人との対話をするための通信整備が進んでいます。

飛行機での利用も広まっていくでしょう。ハワイアン航空のほかにも、ZIPAIR《ジップエア》 Tokyo《トーキョー》という日本のＬＣＣ（Low Cost Carrier：格安航空会社）が、アジアでは初めてスターリンクを使うことを発表しています。

衛星の活用が広まると、どのような未来が実現するのでしょうか？

MIT[19]**のファビオ・デュアルテ氏、トム・ベンソン氏らが興味深い研究に取り組んでいる**ので、ご紹介しましょう。

自転車大国であるオランダは、首都のアムステルダムだけでも、年間8万台以上の自転車が盗まれているそうです。

このような状況を改善すべく、MITの研究チームは、盗難される自転車の盗難パターンや経路、その後の動向を、GPSを使って解析し、明らかにしたそうです。

研究が社会実装されれば、自転車の盗難が減少すると共に、都市犯罪学の分野で、新たなセンシング技術の適用可能性を示す内容だと評価を得ています。

地上の移動通信システム、5Gもさらなる進化を遂げます。約10年ごとに更新されてきた地上通信は、6Gに限らず7G、8Gとさらなる成長を遂げることで、より低遅延で高速、かつ、一度に多くの利用者とつながることができる。これからも性能はより高まっていくはずです。

また、通信技術が進化すると、どのような未来が実現するのでしょう？

コンマ何秒以下の低遅延を要求される取り組みが、遠隔で行えるようになります。スポーツは自宅にいながら、大画面での観戦は当たり前で、より容量を消費するXRゴーグルを装着して、まるで現地にいるような体験が楽しめるかもしれません。

それに伴って、音楽の楽しみ方、制作方法も変わります。ギター、ベース、ボーカルなどそれぞれのバンドの担当者が一堂に会することなく、別々の場所にいても同じタイミングで、セッションできるようになるからです。

先のスポーツのように、自宅で観ながらも、まるで現地にいるようなライブ体験が可能になるでしょう。

しかし、それに伴い、ライブの臨場感の価値は高まり、ライブに行きたくなる人や、より高価格でもライブに参加したい人が増えることがあり得ます。

そしていずれ、スマホはなくなる

スマホは、あらゆるサービスや利用方法がさらに進化していき、キーデバイス、インフラとしての存在感をますます高めていきます。

しかし、ガラケーがスマホの登場でゲームチェンジしたように、スマホの機能を踏襲しながらも、操作性や利便性が今よりも便利なデバイスが開発される。このような未来、変化はこの先かなりの確率で起きるでしょう。

スマホの次のデバイスは、グラス型なのか、ウォッチタイプなのか。究極を言えば、デバイスは存在しない。人が思ったことや目線、手や腕のジェスチャーなどで、あらゆる動作に対応できるような姿が、本来あるべき形ではないでしょうか？

たとえば後述する、イーロン・マスク氏が長年研究を続けている、脳波を読み取ることで実現するような世界です。

一方で、このテクノロジーが実現する未来はまだかなり先であり、中間地点として、ゴーグル型のデバイスが登場する時代が目の前にきています。

アップルが例年6月ごろに開催している、開発者向けカンファレンス「WWDC23」では、何らかの発表、アクションがあると期待されていました。そこで発表されたのは、いわゆるXRゴーグルタイプの「Vision Pro」というデバイスでした。

一見するとXRデバイスのようですが、アップルとしては「空間コンピューター」との表現で説明しています。実際、操作においては、ボタンなどを押すのではなく、目線、手のジェスチャー、音声で行うようです。

アップルがWWDC23で発表した「Vision Pro」

出典：アップル（Vision Pro公式サイト）

「Vision Pro」のUIイメージ図

出典：アップル（Vision Pro公式サイト）

もしこのVision Proが、常時つけても不快でないぐらい軽量化され、バッテリーも持続するようになるならば、それこそスマホに代わる可能性があります。

アップルに限らず、スマホに代わるデバイスを開発することができたら。それこそ一気にマーケットを変革しますから、多くの技術者や企業が研究開発に躍起になっていま す。

【家電】おしゃべり家電に囲まれたスマートハウスで、一人暮らしも怖くない

ＩｏＴ家電が一般的となり、ChatGPTやGPT-4のような、高性能な生成ＡＩが実装された未来では、人が家電に指示を出すのではなく、家電の方から「〇〇しましょうか？」などと話しかけてくる世界が待っています。

すでにシャープは「しゃべる調理家電」シリーズで、オーブンレンジや電気調理鍋、空気清浄機などに、同機能を実装。話しかけてくる声をユーザーが選べるといった、ユニークな機能も備わっています。

有名な声優、アニメのキャラクターなどをずらりと揃えており、英語にも対応。語学

学習に使うことも可能です。生成ＡＩによって、すでに亡くなってしまった、自分の好きな俳優の声を選ぶことも可能になるでしょう。

家電はそもそも、家事をサポートすることが目的です。そのサポート機能が単にタスクをこなすだけでなく、体験としてより高まっていく。ここでもスマホやスマートハウスが得たデータが重要となってきます。

現在でも、Alexa《アレクサ》などを使えば、声で指示を出すだけで、照明やテレビを操作することが可能です。

しかし、これから先の未来ではもっと進んで、ユーザーのこれまでの体験から、その言葉の裏にある本当のニーズを汲み取ってくれることが重要です。

まさに話しかけてくる家電になりますが、帰宅した際には、これまでの行動履歴を学習しているので、「お帰りなさい、お風呂が沸いています」と話しかける。真夏であれば、家主に頼まれなくてもクーラーをかけ、室内を適温にしておく。このような操作を人が指示することなく、家電の方から言葉も含め、実行してくれる世界です。

調理においては、冷蔵庫に入っている食材をGPT-4が認識し、最適なメニューを、ユーザーの好みにあわせて提供。「本日は○○がおすすめです！」と話しかける冷蔵庫が登場するでしょう。

実はこのような冷蔵庫の実現は、私が以前に書いた書籍『2025年を制覇する破壊的企業』（SB新書、2020年）の中で描いた未来でもありました。GPTの登場により、この予測が2年前倒しされたことになります。

ユーザーの好みへの対応においては、ChatGPTを実装することで実現に近づきつつあり、すでに研究がなされ、成果も発表されています。

アメリカで情報技術などのコンサルティングを手がけている、People Tecの研究者たちが発表した論文「The Multimodal And Modular AI Chef: Complex Recipe Generation From Imagery」[*20]です。

論文によれば、冷蔵庫の中にある食材などを撮影した画像を元に、ChatGPTに代表される大規模言語モデル（LLM：Large Language Models。以下、LLM）が、調理可能なレシピを考え、テキストとして出力する機械学習モデルを提案した、としています。

冷蔵庫がレシピを提案する以外にも、調理のサポート面で、AIが画像認識でお肉の焼け具合を、カメラやフライパンの温度などにより識別し、適切なタイミングで「野菜を投入してください」「味付けをしてください」といった指示を出すサポートが可能になっていくでしょう。

もちろん、調理が好きな人はそのような機能はオフにして、「いい感じです！」といった応援機能のみをオンにすることで、調理を純粋に楽しむような使い方も想定できます。

掃除機でも、ルンバのような自動掃除機の機能は、より一層高まっていくことでしょう。カメラを使って、部屋の間取りや家具の配置を把握して、どこにホコリがありそうなのかとか、ここは掃除をした、していない、などの判断を掃除機自らがしていくようになっていきます。

ルンバではすでに「ダートディテクトテクノロジー」として実装されており、今後は、自分で回収できないような大きなゴミの場合には、「ここに大きなゴミがあります」と、音声もしくはチャットなどで家主に伝えるようなこともできるでしょう。

テキサス大学のピーター・ストーン氏、リシンク・ロボティクス社のロドニー・ブルックス氏らが、まさに本書の冒頭の物語の年、2030年の生活における人工知能の広まりについて研究し、スタンフォード大学より発表した論文[*21]があります。

その中では、将来的にはロボットアームが家庭にも導入されるようになり、2030年に向けて他の家庭用ロボットが、安全も考慮しながら着実に使用されるようになる、と論じられています。

【エネルギー】洋上風力発電分野で日本のベンチャーが世界に挑戦

◆原子力

福島第一原子力発電所が甚大な事故を起こしたこともあり、日本に限らず今後の原子力発電の研究開発や利用においては、意見が分かれています。たとえばフランスは、再生エネルギーとして定義し、積極的に利用を進めています。

ただし、福島第一原発のような、従来型の原子力発電に見られた核分裂型ではなく、核融合によりエネルギーを放出する仕組みや、マイクロ原子炉といった今の原子炉よりも小型なタイプでの推進です。

核分裂タイプの大型原子炉は、メルトダウンが起きると、人の手ではどうすることもできません。

一方で、次世代型の原子力発電施設であれば、福島第一原発のようなリスクをかなり減らすことができる、と言われています。

現在は研究開発段階ですが、ビル・ゲイツ氏が出資する動きなど、積極的な開発が進んでいます。ディープマインドも、核融合を安定・維持するための制御アルゴリズムを、ＡＩにより開発したと発表しています。

スイスの国立大学である、スイス連邦工科大学ローザンヌ校のスイスプラズマセンターの研究者らとディープマインドが協力し、国際的な科学メディア『Nature』に、関連する取り組みを発表[*22]しています。

国内においては、三菱重工業が開発を進めています。炉心の大きさは、直径1ｍ×長さ2ｍのサイズであり、一般的なトラックで運べます。そのため離島や僻地、災害時の

三菱重工が開発中のマイクロ原子炉

出典：三菱重工業

バックアップ電源としての活用も期待されています。

◆太陽光

太陽光発電はかなり浸透した感がありま す。ですが、これからの動きとしては、発電した電力をどのようにして溜めておくか、移動したり効率的な使い方ができるのか、そのほか蓄電、配電といった領域の技術がさらに進化していくでしょう。いわゆるマイクログリッド的な考えであり、サービスです。

このような考え方に、すでにテスラが取り組んでいます。「Powerwall《パワーウォール》」というサ

テスラが開発したソーラーパネル

出典：TESLA

ービスです。発電工程では、一見するとソーラー発電パネルには見えない、建物の外観を損なわないデザインの屋根素材を開発しています。

発電した電力を蓄えておく、大容量の蓄電池も開発しています。蓄電池もテスラの世界観を想像させるような、スマートでしゃれたデザインに仕上げています。そしてテスラユーザーであれば、家庭の使用で余った電力をテスラにチャージできるというメリットもあります。

さらには、テスラが電力の移動媒体となり、他所で販売するようなことも行えます。重要なのは、これら複数の事象の挙動を、すべてワンストップでスマホのアプリで管理できることです。

まさにスマートグリッドの概念になりますが、天候が悪いなど、電力が乏しい地域の電力状況をスマホで確認したら、電力が余っている地域のテスラユーザーが、フル充電したテスラを走らせ、電力を供給することもあり得ます。

テスラの動向は、アップル銀行など、アップルが提供するサービスの利便性に通じるものがあります。ビジネス的な戦略も近いです。つまり、発電からチャージまで、一連のサービスをテスラで利用してもらいたい。

そして、テスラのサービスを多く利用しているユーザーには、モビリティ本体を割引して販売する、ということも可能です。テスラの経済圏がお得なため、ユーザーはそこから離れにくい構図が狙いです。

視点を変えると、このような囲い込み戦略を得意とするアップルが、電力業界に参入してくる可能性も考えられます。そしてここでも、アップルは電力事業で儲ける必要はありません。あくまで目的は、iPhoneの継続的な利用だからです。

たとえば、アップル銀行の口座から電気料金を支払えば、10％引きにする。そのようなサービスを打ち出す可能性は十分に考えられます。電力に限らず、ガスなど他のエネルギーへの参入についても、同様の戦略で進めることができますから、進出する可能性は十分あり得るでしょう。

一方で太陽光発電は、1日24時間のうち、限られた時間帯しか充電できません。森や林を切り開き、広大な施設を設けているところも多く、自然や生態系が破壊されるリスクや、大雨が降った際などに土砂災害の発生リスクが高まるといった懸念、課題点も指摘されています。

◆風力

対して風力発電であれば、特に海上はほぼ一日中、夜中でも風が吹いているエリアが多いですから、ソーラー発電と比べると今後、より一層伸びる、注力するプレイヤーが増える領域だと言えるでしょう。

私自身、以前から洋上風力には注目、期待していました。

しかし、こちらも環境問題につながりますが、海の底まで支柱を伸ばし、固定させるような方式では、確かに設備は安定しますが、生態系に影響を及ぼすのではないか。そのような指摘がありました。

一方で、浮かすタイプの設備は、あれだけ巨大な羽根が回っている構造物を、安定させることが難しく、そこが技術的なネックとなり、なかなか進まずにいました。けれども、技術の進歩によりこの問題も次第にクリアされ、現在では浮体式の洋上発電設備も増えつつあります。

国内での動きをいくつかご紹介しましょう。

戸田建設は他の事業者とも協力しながら、長崎県の五島列島で浮体式発電設備の開発を進めています。2023年末までに、8基の発電機を設置する予定であり、五島市の約1割に相当する、およそ1800世帯の電力をまかなうと期待されています。

風力発電においても、単に発電するだけではなく、その後の蓄電や配電が重要との問題があります。そして、そこに着目した事業を展開するベンチャーやサービスが登場しています。

浮体式の風力発電機では、アルバトロス・テクノロジーというベンチャーがこれまでにない、ユニークなかたちをした風車を開発。大手電力会社から出資を受けるなど、勢

アルバトロス・テクノロジーが開発した浮体式の風力発電機

浮体式垂直軸型風車のウインドファーム。
出典：株式会社アルバトロス・テクノロジー

アルバトロス・テクノロジーが開発した浮体式の風力発電機

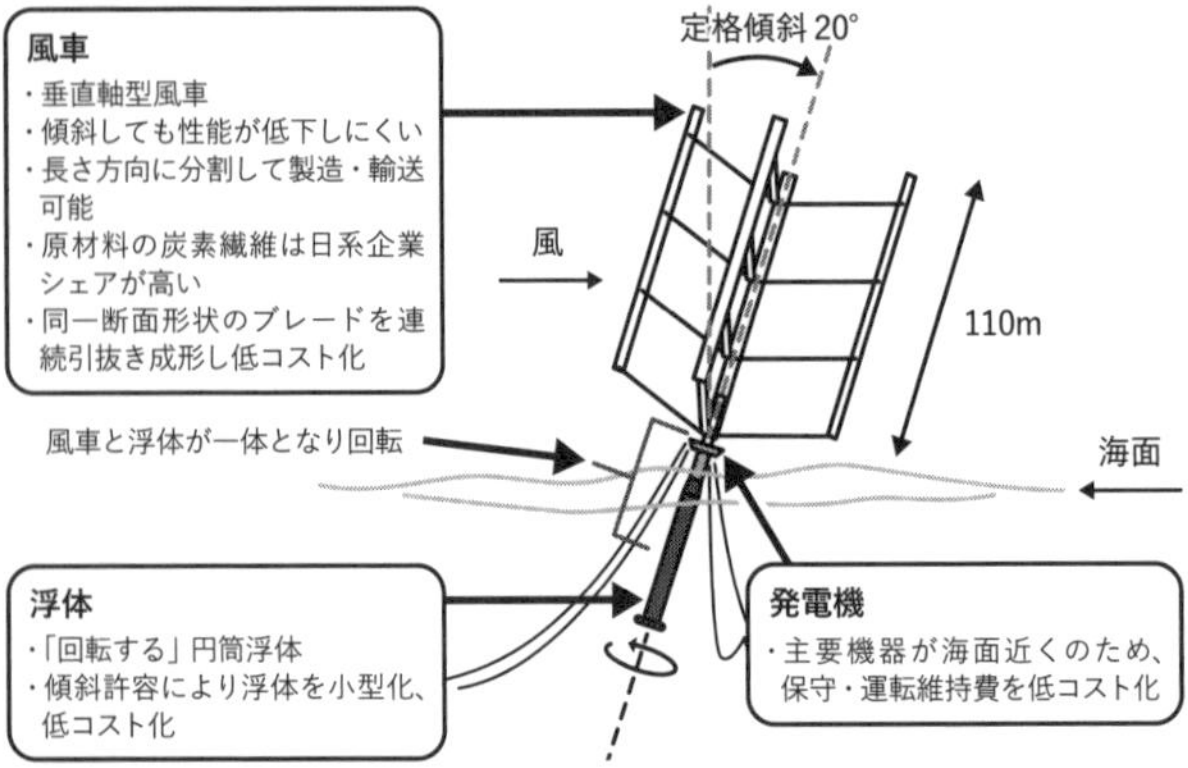

風車
・垂直軸型風車
・傾斜しても性能が低下しにくい
・長さ方向に分割して製造・輸送可能
・原材料の炭素繊維は日系企業シェアが高い
・同一断面形状のブレードを連続引抜き成形し低コスト化
定格傾斜 20°
風
110m
海面
風車と浮体が一体となり回転
浮体
・「回転する」円筒浮体
・傾斜許容により浮体を小型化、低コスト化
発電機
・主要機器が海面近くのため、保守・運転維持費を低コスト化

出典：株式会社アルバトロス・テクノロジー

パワーエックスの蓄電船

電気運搬船「Power ARK」のイメージ図。
出典：パワーエックス

いを加速させています。

蓄電や配電においては、パワーエックスというベンチャーが、画期的なアイデアを生み出しています。発電した電力を従来のようにケーブルではなく、隣接する船に搭載したバッテリーに充電する、というものです。

電力が満タンになったら、先のテスラと同様、電力を必要とする地域や先に届ける。船は現在開発中であり、運用予定は2025年です。

デザイン画などを見ると、テスラのようにしゃれた外観で、このあたりもこれまでの電力業界ではあまり見られなかった点です。

運用が始まれば、理論上は電力を世界中どこでも、足りない地域に供給できますから、まさに夢のような未来です。

ちなみに同社を創業したのは、伊藤ハムグループ創業家出身の、伊藤正裕氏。伊藤氏は17歳で事業を立ち上げ、アパレル大手のZOZOにいた際には「ZOZOSUIT」の開発などを手がけるといった、ユニークなキャリアの持ち主でもあります。

他の経営陣の顔ぶれを見ても、日本のベンチャーでは珍しく海外勢が多くなっています。伊藤忠、関西電力、Jパワーなど、大手企業を中心とする約20社から、総額50億円を調達しています。

【宇宙】宇宙旅行が実現する日も近い

現在では限られた人しか行くことができない宇宙旅行。これから先の未来では、当たり前に多くの人が行けるようになるでしょう。

ひとつは料金です。現在は3000万円ほどが相場のようですが、多くのサービスと同様に、利用者が増えれば料金は下がりますから、近い将来では500万円ぐらいにまで下がる可能性があります。

牽引するのは、ここでもイーロン・マスク氏率いるスペースXです。続いて、アマゾンを創業したジェフ・ベゾス氏が率いるブルーオリジン。この2社のみならず、多くのベンチャーが参入しています。

先日、宇宙旅行どころかもっと先の未来である火星移住を目指すために開発中の、スペースXの宇宙船「Starship《スターシップ》」を搭載したロケットが試験飛行を行い、打ち上げから数分後に爆発する、というアクシデントがありました。

メディアも含め、一部の人は「失敗」と書き立てましたが、イーロン・マスク氏は至って平静。そもそも成功の確率は高くなく、データを集めるミッションという意味では多くのことを学んだとしています。数カ月後に再度打ち上げると、決して失敗とは捉えず、次の機会に前向きに活かそうという姿勢でした。

対して、同時期に打ち上げた日本のロケットH3の試験飛行ですが、こちらは失敗と印象づけられています。何が違うのでしょうか？

スペースXは民間企業であり、H3を飛ばしているJAXAは国の機関であることが大きいでしょう。スペースXの取り組みも正確には、国の機関であるNASAからの受託というかたちが大半です。対して日本のロケットの取り組みは、大手重工業メーカーに機体の製造などは委託していますが、あくまでJAXAが主導しています。

そのため予算も限られていますし、失敗すると「税金の無駄遣い」などと揶揄されることも少なくないため、どうしてもスペースXのような大胆な取り組みがやりにくくなります。


誰もが成功すると思っていなかった、ロケットの再利用を実現した取り組みは、まさに代表格です。お金も含めた規模の巨大さは、一般的な実験や研究と比較になりませんが、今回の爆発もイーロン・マスク氏にとってみれば、本当に実験過程のひとつなのでしょう。

当時のスペースXのチームメンバーの表情や拍手する姿勢を見ていても、イーロン・マスク氏の発言どおりであるように思えます。このように会社が一丸となって前向きに捉えることで、さらなる飛躍につながっていくのです。

宇宙関連の今後としては、月面を走る車や月面で作業するロボットも、ＡＩにより自動化が進む。このような取り組みも加速しそうです。

東大発のＡＩベンチャーであるTRUST SMITH《トラストスミス》が研究を進めており、自社が持つＡＩやロボティクスといったテクノロジーを応用することで、月面上において自動でモビリティを動かすことを計画しています。

また、GITAI《ギタイ》というベンチャーが、宇宙空間での作業を効率よくするロボットの作成を、拠点をロサンゼルスに移して行っています。月面の宇宙基地やコロニーのような建物を、無人で建設していく。夢のような未来は、もうそこまで来ているのです。

【航空】アメリカと日本を50分で航行

スペースXは、ロケットを開発する企業と思っている人が多いようですが、実は飛行機、旅客機のビジネスにも参入しようとしています。これまで培ってきたロケット、特に超大型ロケットの飛行技術と機体を使うことで、一般的な飛行機よりもはるかに高い高度と速度で運航する計画があります。

どれくらい速いのか。一般的な飛行機の場合は、東京―ニューヨーク間のフライト時間はおよそ13時間ですが、スペースXの機体であれば1時間もかからないそうです。もちろんそれなりの費用になるでしょうが、お金よりも時間を優先する富裕層はこぞって利用するでしょう。

旅客だけでなく、荷物の輸送という観点からも、超特急の荷物を海外に送りたい人などから支持を受けるでしょうから、実現する可能性は大いにあります。

実現すれば、現在の一般的なエアラインが大きな打撃を受けるはずです。特に、高額なファーストクラスに乗るエグゼクティブ層は、スペースXのサービスを選ぶと思われるからです。

このような危機感を、ある意味ビジネスチャンスと捉え、現在の飛行機よりも速く機体を飛ばそうとしているベンチャーがあります。アメリカのブーム・スーパーソニックです。「Overture《オーバーチュア》」という超音速旅客機の開発を進めています。

**ブーム・スーパーソニックが開発を進める
超音速旅客機「Overture」**

出典：ブーム・スーパーソニック

スペースXのように、飛行時間が10分の1までは短縮されませんが、速度はおよそ超音速のマッハ2・2。フライト時間は従来のおよそ半分になるそうで、2024年に生産をスタート。2029年には、旅客を乗せた商業フライトを予定しています。

すでに機体の購入を予約している航空会社もあり、JALも出資をしています。夢物語で終わることのない、実現しそうな未来でもあります。

若い読者の方はご存じないかと思いますが、実は以前にも似たようなサービスがありました。それは、イギリスやフランスの航空機メーカーが共同で開発した「コンコルド」という飛行機です。

速度はOvertureと同様マッハ2を超えていましたが、騒音が大きい、座席数が少ない、燃費が悪い、収益性が乏しいなど、マイナス面が多く、次第にサービスが縮小していきました。

これまで何度も繰り返しているように、テクノロジーが優れていても、社会に実装されなければ広まらない、その典型でしょう。当然、ブーム・スーパーソニックはコンコルドの失敗を知っているでしょうから、どこまでスペースXに対抗できるのかが注目されます。

第4章

建築・不動産業界

デジタル・AIにより
サービスや業務が最適化される

「Google Immersive view」で自宅にいながら暮らしたい都市を選ぶ

不動産業界では、データを活用したビジネスやサービスが、ますます広まっていきます。アメリカの不動産テックベンチャー「ジロー」や「Redfin《レッドフィン》（以下、レッドフィン）」が開発・運営している、アプリによるところが大きいです。

ジローのアプリを使えば、1億件以上とも言われる、アメリカ全土に点在する不動産価格の推移などを確認することができます。

金額だけでなく、建物の外観や内部の様子、雰囲気が分かる画像も掲載されています。そのため、アプリを利用すれば現地に行くことなく、お気に入りの物件を予算も踏まえて選ぶことができます。レッドフィンは情報提供に加え、不動産の売買事業も手がけています。

特徴として、両アプリはＡＰＩ（Application Programming Interface：主にソフトウェアやプログラム同士をつないでいるインターフェースのこと）を活用してGoogle Mapと連携している点です。

物件を探している利用者は、自分が住みたい街、あるいは仕事や進学などで転居することになった地域を、Google Mapでまずはチェックします。

仕事場や学校から近い、あるいは駅チカ、それとも逆にちょっと田舎の風情が残っているエリアなど、自分が暮らしたいと思うエリアの状況を、こちらも自宅にいながらまるでその場にいるように把握することができます。

その後は、エリア内にある不動産をアプリで見つけ、建物の内覧を行っていく。このような流れです。

Google Mapによるエリア検索は、さらに進化しました。２０２２年のGoogle I/Oで発表された「Immersive view」という新しい機能です。Google Mapにリアルなシミュレーションが加わったイメージです。

これまでのGoogle Mapでは、実際にその場で撮影した画像を全方位的に見ることはできますが、朝方や夜といった時間帯の指定はできませんでした。これがImmersive viewを使うことで、可能になりました。

時間だけでなく晴れの日、曇りの日、雨の日といった指定もできます。これまでの何十億枚という数のストリートビューのデータならびに、航空写真を加えたデータを分析することで実現します。

これは主観ですが、最近グーグルが積極的にマーケティングを進めている、グーグルのスマホPixelに搭載された、「消しゴム機能」に近いと言えるでしょう。物件前の道路の交通量や騒音までシミュレーションできるほどの性能を誇ります。

AIが最適な物件、ローン、ライフプランなどを提案

これまでは不動産会社の担当者が、お客さんが好みそうな予算内の物件を店頭で提示し、そこから営業車で一緒に現地を訪れ、外観から内覧までを行っていました。

未来の世界では、いま紹介したGoogle MapやImmersive view、ジローなどのテクノロジーやサービスを利用することで、自宅にいながらそれらを行うことができます。その結果、これまで不動産会社の課題であった、マッチングにおける最適化の精度が高まり、業務が効率化するようになります。ここでも活躍するのはＡＩです。

あるユーザーはGoogle Mapで、海沿いの物件を多く閲覧していたとのデータが蓄積

されていたとしましょう。そのような情報を元に、ＡＩがマッチする物件をレコメンドする。つまり、より個人の好みに合わせた営業ができるようになります。

値段も同様です。家賃10万円前後の物件ばかりを探している人には、相応の物件をレコメンドすることで、マッチング精度が高まると考えられます。さらに生成ＡＩを活用することで、より個人に合わせた文章での提案や、営業活動ができるようにもなるでしょう。

これまでの近しいサービスであったチャットボットは、いかにもロボット的で、パターンによる対話が一般的でした。

対して、生成ＡＩを組み込んだチャットボットであれば、相手の言葉をより正しく理解しますから、適した言葉や物件をより正確に返すことができます。業務を担う生成ＡＩには、あらかじめ不動産の知識を学習させておけばよいのです。

すると、どんなことが可能になるのでしょう？

「渋谷駅から徒歩10分以内、家賃10万円以内の物件を家賃の高い順に羅列して」。このような問いに、瞬時に答えてくれます。多くの場合、人が行うより速いでしょう。

子どもがいる家族であれば、近くに小学校はあるか、歩いて何分なのか、スクールバスや給食の有無など、データさえ学習させれば担当者が調べることなく、ＡＩが瞬時に答えを返してくれます。

そうして気に入った物件を見つけた後も、人を介することなく、スマホに解錠キーのパスを送れば、ユーザーは現地に１人で行って、スマホで鍵を開け、内覧することも可能です。物件の内覧は実際にこの目でしたい。このようなニーズは少なからずありますから、そのような要望にも、人件費をかけずに対応できます。

賃貸物件だけではありません。分譲住宅でも、同様の流れで物件のマッチングが可能です。

住宅ローンの審査においても、金融業界のところで紹介した内容と重なりますが、スマホなどに蓄積された個人データを解析することで、正しく、そしてスピーディーに与信の判断や貸付可能金額を算定することが可能になります。

金融業界と同じく、これまで人が担っていた業務の多くをＡＩがこなすようになるでしょう。

しかし、ＡＩが仕事を奪うとの考えや解釈は、あまり正しくありません。こちらも金融業界やエンタメ業界と同じですが、人にしかできない、人だからこそ対応できる。付加価値の高い業務だけを人が行うような姿に変わっていくと、私は考えています。

ユーザー側の視点ではなく、不動産業者の視点でもＡＩを活用することは、さらなるビジネスチャンス、業務の効率化に寄与します。

たとえば、どのような物件を建てれば、空室率の低い優良物件になるか。

このような問いは、これまでは専門の知識を備えた人材が担っていた領域だと思います。

しかし、ＡＩがプライバシーに配慮したデータを活用して行えば、どんな属性の人たちがどの時間帯にどのように流動しているかが、大まかに分かります。

そのような属性の人たちが、どのような物件を好むのか。2LDKなのか、ワンルームなのか、戸建ての分譲住宅なのか。値段も含めてこれまで属人的であった取り組みが、データドリブンに変わっていきます。

内装の良し悪しに関しても、これまでは何となくおしゃれだから、入居率が高そうだ、シンプルでクールな部屋だからよい……このような感じだったものが、GPT-4が登場した今、画像の認識も生成AIが行ってくれますから、内装を撮影した画像をGPT-4に投げ、デザイン的にどの属性に人気なのか判断してもらえばいいのです。

さらに言えば、特定地域の属性。たとえば、30代前半のファミリー層が多い地域であれば、その属性をテキストデータで分析し、同属性の人たちからの支持は何%であるかなど、マーケティング支援的な活用もできるでしょう。

特に、画像認識に関するサービスや業務効率化においては、GPT-4の登場をきっかけに、今後加速度的に変化していくことは間違いありません。

不動産の土地や建物は、製造業的に表現すれば、ハードウェアと言えるでしょう。これまでの製造業界と同じで、ハードウェアだけで何かを進めていく、もしくはユーザーのニーズに応えることは、これからの時代は不可能に近くなるということです。なぜなら、ユーザーはハードウェアを通じて同時に、ソフトウェア的なサービスや体験を求めているからです。

つまり、これからの不動産業界は、単に良質な物件（ハード）を人気のエリアに建てるだけでなく、顧客のニーズや体験（ソフト）をサポートするようなサービスを、ＡＩやアプリなどを活用することで、提供できる事業者が生き残っていく。

逆に、ついていけない業者は不利な立場になっていくでしょう。

不動産の価値を算定する業務も、いずれはＡＩが担う部分が大きくなるでしょう。

コロラド大学ボルダー校のマディエ・ヤズダニ氏、マジアル・ライシ氏らが取り組んでいる、AIを使った不動産価値における研究[*23]が参考になります。

研究では、「Transformerを利用した画像認識ＡＩに、不動産データを用いた学習を行わせ、対象物件の価格を予測する「不動産物件査定用アルゴリズム」を開発。実際に予測を行うと、正確な結果が出たと伝えています。

使用した学習データは、物件の内外観、寝室や洗面所の数、延べ床面積や敷地面積、築年数、近隣の状況などといった要素だったそうです。

人が査定を行うと、どうしても属人的・恣意的なバイアスがかかりますから、このようなＡＩを活用することで、より正確な評価が迅速に行えると、論文では述べられています。

個人の好みを瞬時に反映するアマゾンハウス

住まいは、スマートハウス化がさらに進むでしょう。まずは入居する際、玄関での解錠が鍵からスマホに、さらに生体認証へと変わっていきます。

生体認証は顔、網膜、指紋などいろいろありますが、目の網膜にある毛細血管のパターンを読み取る網膜認証、黒目の部分の模様で識別する虹彩《こうさい》認証が広まっていくと、予想しています。

生体認証で個人を識別されて、家に入る。すると、どうなるでしょう？

個人が認証されたことで、その人が好む、快適だと感じている部屋の状態に、瞬時に設定されます。スマホやパソコンのOSと連携したソフトウェアが家に搭載されており、そのソフトウェアが各種家電やインフラを設定し直すのです。

引っ越しする際にも、前の家のデータを保存しておく。次の家で、引っ越した本人だと認証されれば、特に何かせずとも、以前とほぼ同じ状態の快適な住居ですぐに暮らすことができる。そのような未来です。

設定は、温度、湿度、香り、二酸化炭素の量といった空気の状態から、カーテンの開け閉め、音楽好きな人であれば好みの音楽など、いくらでもあります。時間帯による設定の変更も、スマートハウスのソフトウェアに任せることができるでしょう。

たとえば夕方暗くなったら、自動でシャッターとカーテンを閉めてくれる。同時に照明をつける、といった具合です。帰宅時間が大抵同じ人であれば、19時になったらお風呂を40度で沸かしておくことも可能でしょう。

自宅ではありませんが、ホテルではすでに近しいサービスを導入しています。入室時に、お客さんのアカウントを共有。モニターで流れるYouTubeのアカウントを同期するような取り組みです。

同じ原理で、各種サブスクの音楽サービスのアカウントを同期すれば、好みの音楽を自宅と同じようにホテルでも聴くことも可能です。

住人の属性の内容に関係してきますが、企業は不動産会社に限らず、ユーザーの属性や動向をとても知りたがっています。動向が分かれば、適したサービスを提供することができますし、他社との差別化にもなるからです。

マイホームの間取りや好みは企業が欲しい、ユーザー情報の塊でもあります。そこで企業側としては、データを提供してもらう代わりに、家賃や家電を安くするサービスを展開していくことが考えられます。

アマゾンはAlexaやスマートハウス対応家電、インフラを多く扱っていますから、私が紹介した未来を実現することは難しくありません。それらの家電やインフラからさらにデータを取得することで、最適なサービスや商品をよりレコメンドしていく。

言ってみれば、アマゾンエコシステム、アマゾン経済圏への囲い込みです。

本来であれば、不動産会社もこの手のデータを欲しいはずですが、やはりそこは個人情報の塊である、スマホなどのデバイスを持っている企業が強いのです。そういった観点からも、アマゾンに限らず、グーグルやアップルが同様のスマートハウスを展開することは十分に考えられます。

金融会社がそうであったように、不動産会社もアップルなどのビッグ・テックと組むことで、データはもちろん、サービスの共有や展開をせざるを得ない状況が生まれているのです。

SaaS化が進み、分譲、賃貸、ホテルの垣根がなくなる

賃貸と分譲、数泊や数週間だけ泊まるホテルや旅館のような棲み分けも、これから先の未来では曖昧になっていくでしょう。

現在の賃貸契約は、不動産会社の事務所に行き紙の書類にハンコを押すなど、前時代的なアナログ業務が未だに多く残っています。もちろん、法律による規制があることは理解しています。

しかし他の業界と同様、海外の黒船、ビッグ・テックなどのテクノロジーに押し寄られるかたちで、次第に規制は緩和されていくことでしょう。そもそも現在のテクノロジーを使えば、インターネット上で契約を完了することは十分可能だからです。

そして、すべての契約がデジタル、インターネット上で行われるようになれば、自分好みの部屋が実現できる可能性は、ますます広がっていきます。明日はどの住まいで泊まったり暮らしたりするのか、その日の気分などで簡便に選べるようになる。それもスマホひとつで、です。

このような未来が実現すると、11カ月〇〇万円といった既存の賃貸ビジネスモデルも崩れていきます。他の業界ですでに進んでいることでもありますが、いわゆるサブスク契約に移行していくと考えられるからです。

具体的には、次のようなイメージです。ある不動産サービスを展開する企業が保有している不動産であれば、好きな空き部屋に、どこでも住むことができる。前日に申し込むことも可能で、料金は月額10万円。オプションとして数千円、数万円を足せば、よりランクが上の物件もOK。

このようなサービスが進化すれば、賃貸物件、ホテルの垣根もなくなります。

実際すでに、1日から借りることのできる不動産物件も多く登場していますし、3日、1週間、1カ月といった利用者が望む期間で、自由に契約することもできます。

見方を変えると、不動産を所有している人は、今よりも柔軟にユーザーに貸すことができるようになります。

Airbnb《エアビーアンドビー》がいい例です。直接やり取りするのはリスクが高いですが、特に不動産業界のスキル的なものは必要ないため、同様のサービスを展開する企業が、今後台頭してくる可能性も十分考えられます。

生成AIが家やインテリアをデザインする

家の内外観からインテリアデザインまで、これまでは建築士やインテリアコーディネーターといった、専門の技術や知識を持つ人たちが行っていた業務も、未来の社会では生成ＡＩが担う部分が大きくなるでしょう。

特に、昨今の建築設計はＣＡＤ（Computer Aided Design：コンピューター支援設計。機械や部品、建築物などの設計に用いられる）や、各種３Ｄソフトを使って行われるため、デジタルと相性がとてもいいのです。お客様の要望を、設計士やインテリアコーディネーターがヒアリングし、近しい物件の画像やインテリアを見せる。

その中から特に反応の良かったデザイン、雰囲気の画像を生成ＡＩに学習させることで、ニーズに適した物件の画像や３Ｄが生成される、という仕組みです。モニターの画面内だけでなく、３Ｄプリンターを使って立体的に見せることもできるようになるでしょう。

とはいえ、設計士やインテリアコーディネーターの仕事が奪われるようなことはありません。

繰り返しになりますが、ユーザーから望みのデザインや雰囲気をヒアリングしたり、好みだと思われる住宅の画像やインテリ素材を見せるといった業務は、人が行った方が現時点では適切だと思われるからです。

もちろん、ユーザーが直接生成ＡＩに「北欧風の平屋を建てたい」とプロンプトすることも可能でしょう。

しかし返答された画像に対し、どのようなアクションを行ったら自分好みの家が出てくるのか？　いわゆる生成ＡＩとの壁打ちは、それこそ専門性の高い人が行った方が、現時点では精度が高いからです。

ゼロイチで独創的なアイデアは、やはり人にしか出せません。生成ＡＩは、あくまで現在世の中に出回っている建築やインテリアの情報を元に、最適な案を提供しているに過ぎないからです。

このような観点からも、建築士がまったく新しいコンセプトの家をデザインした後に、先進的過ぎた点をよりよいかたちに修正していくために生成ＡＩを使い、現在のトレンドやお客様のニーズに合致したデザインに落とし込んでいく。このような使い方も考えられます。

資材や職人の調達から安全確保までデジタル・AI化が進む

日本の建設、建築・土木技術は、世界的に見ても質が高いと言えます。

一方で、これは他の業界の多くにも当てはまることですが、AIの活用も含めたデジタル、テクノロジーの導入が遅れています。しかし、これから先の未来ではデジタル、AI化が進みます。

まずは、資材の手配です。どの現場の、どの作業箇所でどのような資材が必要なのか。これまでは現場監督が、職人などからそのたびにヒアリングし、自らが発注していたのを、AIが代わりに行ってくれるようになります。

現場で働く作業員、技術者の調達においても、これまでは現場に行くまでどのような技術やキャリアを持つ職人が来るのか、現場監督は把握できない状態でした。これは日本の建設業界のネックでもある、多重下請け構造が大きく関係しています。

この構造を抜本的に変えるには時間がかかるでしょうが、資材と同様、職人のこれまでのキャリアもデータで保存され、現場監督などが閲覧・管理できるようになります。その結果、たとえばトンネル工事であれば、同業務に強い職人をデータから探し出し、アサインすることができる。勤怠管理においても同様です。

安全管理においては、現場の各所や作業員のヘルメットにカメラを設置。現場の状況を一元的かつタイムリーに把握することが可能となり、トラブルが生じた際にはすぐに対応できます。

トラブル発見においても、ＡＩによる画像解析技術を使えば、人がモニターの前にずっと座って監視している必要はありません。異常を検知した場合には、アラートを発すればいいのです。

トラブルが発生した際にも、カメラが各所に設置されているため、すぐに現場に行く必要はなく、遠隔で状況を知ることが可能です。これはカメラに限ったことではありませんが、スマートウォッチなどとも連動することで、作業員の健康状態も把握できるため、事故防止や健康被害の対策にも、大きく貢献します。

このようなサービスは、すでに広まりつつあります。２０１４年に設立したベンチャー、セーフィーがリードしており、鹿島建設や大林組といった日本を代表する大手建設会社の現場で導入が進んでいます。

セーフィーについては、カメラといったハードウェア領域に限らず、ソフトウェア領域、クラウド、ＡＩに必要なデータ解析ソリューションなど、映像に関する技術やサービスを包括的に手がけている点も、特筆すべきだと言えます。

セーフィーと同じくクラウド、データを積極活用し、工事の業務効率化に寄与するサービスを展開しているベンチャーも出てきています。２０１２年創業の、アンドパッドです。

同社のサービスを使えば、これまで電話やメールなどで行っていた本部と現場監督、作業員とのやり取りがスマホで簡単に行え、管理も同じく簡便にできます。

加えて、工事の進捗などの情報、適宜修正が入りがちな図面や工程表、作業員の稼働状況、今後の空き状況などを、クラウドを介することで工事に携わる関係者全員がタイムリーに共有できます。

アンドパッドも先のセーフィーと同様、数多くの工事現場で導入が進んでいます。

駅前が一等地という定説は崩壊する？

東京都内に限らず、首都圏の新築マンションの平均価格が1億円を超える（平均では6000万〜7000万円）など、賑わいを見せています。

ただし、高値がついている物件にはいくつか特徴があります。昔から定説のように言われてきた駅前の一等地、駅チカ物件であることです。

なぜ、ここまで駅チカの物件に人気が集まっているのでしょうか？

現時点では、鉄道が最も安い移動手段だからです。コロナ禍によりリモートワークなどが浸透したかに見えましたが、特に日本においては物理的に会社に行く、という行為が未だに評価される傾向が強いため、交通の便が付加価値となります。

しかしこのような定説も、この先の未来では変わる可能性があると私は見ています。

今の話の裏返しになりますが、駅を使うことを前提とした鉄道が、最適な移動手段ではなくなる未来です。

筆頭として挙げられるのは、ロボタクシーでしょう。ロボタクシーが浸透し、既存のタクシーはもちろん、各種鉄道より安価に利用できるようになれば、駅まで歩いていくことはなく、自宅前にタクシーを呼び、オフィスまでドア・ツー・ドアで移動できるからです。

出勤に限りません。学校、買い物、バカンスなど、あらゆるシーンでの浸透が進むと考えられます。その結果、ターミナルの基点とされていた駅は、これまでよりも使われなくなり、周辺の不動産価格が下落。そのような未来もあり得るかもしれません。

ＡＶ（autonomous vehicle：自律走行車）、特にＳＡＶ（Smart Access Vehicle：乗合型自立運転車）が普及していくと、これまで地価や家賃の安かった、いわゆる交通の便の悪い郊外の土地や、物件の価格が上昇する可能性が高くなります。

つまり自動運転技術の発展は、都市設計や不動産価格にも影響を与える可能性が高いと主張されているのです。

ロボタクシー以外でも、このような未来の実現を予測させる動きはいくつもあります。先述したスペースＸの超高速飛行機も、そのひとつと言えるでしょう。

リニア新幹線や飛行機で地方から都市部に出勤するのが当たり前に

今後、より高速で移動できる乗り物が開発されていけば、人々の動線、アクセスエリアは大きく広がっていきます。現在工事が進んでいるリニア新幹線は、代表格と言えるでしょう。

500㎞を超える時速で走ると言われており、運行がスタートすれば、東京と関西圏はこれまでの新幹線の約半分の時間で移動できるようになります。東京—名古屋間は、約90分から約40分に。東京—大阪間は2時間以上かかっていたのが、1時間ちょっとに短縮されます。

つまり、JR中央線の始発駅である東京駅から、終点の高尾駅に行くのと同じぐらいの時間で、東京から大阪に行けるようになるのです。関東圏と関西圏の人たちが、今よりもより活発に、両エリアを移動するでしょう。

関西圏で暮らしながら、毎日東京の会社に通う人も出てくるでしょうし、逆のケースもあるでしょう。子どもの学校や習い事なども同様です。どうしてもこの学校で学ばせたい。ある先生に師事したい。そのような願いが、テクノロジーの発達により、叶うようになるのです。

このようなテクノロジーの進化や社会の変化を、いち早く許容している企業も出てきています。ヤフーでは、以前から新幹線通勤を認めていましたが、飛行機や高速バスも認めるようになりました。

交通費の月額上限額も15万円。リモートワークも推進しており、毎日飛行機通勤する必要はない、とも公言しています。企業にとっては、優秀な人材を全国各地から採用できるメリットがあります。

一方で、働く側にとっても、現在の生活を変えることなく、さらなる成長ややりがいを感じることのできる企業、職場で働くことができる。両者にとってWin-Winの未来だと思います。

このような働き方がさらに進めば、海外在住の人を日本企業が雇うような動きも活発化するでしょう。ふだんはリモートで働いてもらい、数カ月に一度物理的に顔を合わせればいい。有事の際には、その宇宙船で駆けつけることもできます。

企業にしてみれば、自社にとって欠かせないスキルを有した心強い人材を、より広いエリアから迎え入れることができるメリットがあります。

他方、働く側にとっては、地の利ではなく、己の持つスキルやキャリアが採用基準の大半を占めることになりますから、実力を持つものが正当に評価される。よりシビアな世界が待っているとも言えます。

第5章

医療業界

AIによりハード・ソフト両方のサービスやデバイスが進化

【創薬】トランスフォーマーの登場でＡＩによる創薬が加速

医療業界においてもテクノロジー、ＡＩがこれからの未来をリードしていきます。まずは、さまざまな製薬会社が競争を繰り広げている創薬領域です。

従来は人の手で行っていた、属人的な技術を持つ研究者しかできなかったような業務をＡＩ、特にGPT-4のようなＬＬＭが担うことで、創薬の開発スピードが加速するでしょう。

かなり専門的な話になるので、簡略化して説明しますが、そもそも創薬には、さまざまな方法や種類があります。ただ基本的な流れとしては、病気の原因（たんぱく質などの化合物）や遺伝情報を調べ、病気を発症させないように働きかけます。

たとえば、遺伝子の配列を調べ、特定の病気が発症する確率が高い人にその旨を伝え、より健康を意識してもらうことなどがあります。

私たちの体を構成しているたんぱく質も、そもそもの設計図はゲノムに書き込まれています。発症した際に、たんぱく質などに働きかけることで、病気を不活性化します。

ゲノムにまつわる基本概念

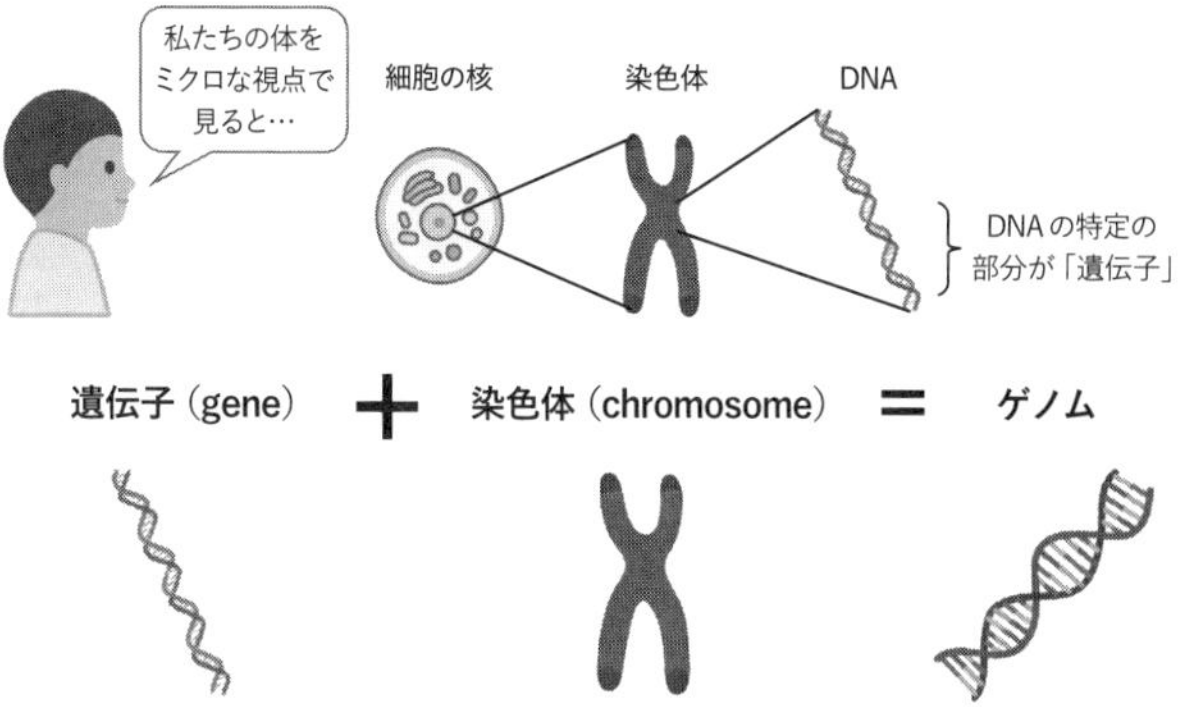

出典：中外製薬「ゲノムとは?」をもとにSBクリエイティブ株式会社が作成

生成されたたんぱく質の構造は、3次元で複雑に折り畳まれているような形状をしていることもあり、現時点ではあまり分かっていないものもあります。このような配列や構造を、ＡＩに解析させることで、職人技の要素もある新薬の開発は、よりスピードが高まると考えています。

COVID-19対策も含めた各種ワクチンの生成においても、一部のＲＮＡ(Ribonucleic Acid：リボ核酸）といった配列を解析する際に、人工知能が活躍する部分も出てきます。

もうひとつ。創薬の流れは組み合わせの要素がありますから、同業務に強い量子コンピューターが使えるようになれば、開発スピードはさらに高まる可能性も考えられます。

グーグルが製薬会社になる？

裏を返せば、優秀なＡＩを持つ製薬会社がマーケットで勝つ、との構図が生まれるでしょう。

しかし、大規模な製薬会社には、そもそもソフトウェア企業に強い企業が多くありません。その結果、ここでもグーグルやマイクロソフトといったビッグ・テックが製薬会社と協力したり、場合によっては知見のあるスタートアップを買収するなどして、医療分野に積極的に進出していきます。

グーグルは5年ほど前から創薬も含め、医療分野でＡＩを活用していくことを公言しており、後述する画像診断や医療事務など、主に4つの分野で進めています。医療機関や製薬会社との連携も同様です。

ディープマインドとの提携もそのひとつです。同社はもともと、ＡＩを使った創薬など医療分野に取り組んでおり、急性腎障害をＡＩが画像で判断するなどの成果を、かなり早い段階から発表していました。

年次イベントGoogle I/O 2023でも発表されていましたが、Google Cloud Platform上における、機械学習プラットフォーム「Vertex AI」を活用し、製薬会社と協力して創薬に注力しています。

Vertex AIは、グーグルが独自開発した汎用的なＡＩモデルであり、エヌビディア製のチップを使っています。創薬に特化したＡＩではありません。

しかし、これまで紹介してきたように、創薬に関するデータを学習させ、創薬に強いＡＩモデルを構築することができれば、グーグル自身が製薬会社、もしくは創薬部門と連携して、より注力することができます。

その結果、グーグルは製薬会社のような存在となり、画期的な新しい薬を世に送り出す。そのような未来は十分考えられます。

マイクロソフトもグーグルと同じく、アメリカの「Nuance Communications《ニュアンス・コミュニケーションズ》」という企業を買収するなどして、ヘルスケア領域への進出を強めています。

同社は、音声認識とAIに強いベンチャーで、医療分野では医師と患者のやり取りをAIがテキストにして、電子カルテとして保存できるようなサービスを手がけています。買収は今から2年ほど前のことですが、金額は197億ドル。当時のレートで、約2兆1500億円の規模ですから、マイクロソフトがいかに医療分野に注力しているかが窺えます。

日本国内では、製薬大手の中外製薬がAI、ディープラーニングを活用した創薬に取り組んでいることを公表しています。

【感染症】バイオテクノロジーによりマラリアを削減

日本ではあまり馴染みがありませんが、世界の三大感染症のひとつであるマラリア。現在でも熱帯・亜熱帯地域での流行が継続しており、毎年数億人レベルで感染、死亡者数も数十万人という状況です。

マラリアは、マラリア原虫という寄生虫を蚊が媒介することで、感染が広がります。そこでマラリア原虫を持たない、持てないような蚊を、遺伝子組み換え技術などで行う取り組みが進んでいます。ここでもマイクロソフト、ビル・ゲイツ財団が積極的に投資しています。

具体的なテクノロジーは「CRISPR-Cas9《クリスパー・キャスナイン》」。2020年にノーベル化学賞を受賞した技術でもあります。受賞したのは、ドイツの研究機関とアメリカの大学の研究者2人ですが、元となるアイデアや技術は日本人研究者が、1980年代に発見しています。

仕組みは至ってシンプルです。ハサミのような機能を備え、特定のDNA配列をハサミで切断し、遺伝子の配列を組み換えます。

そもそも、バイオテクノロジーと聞くと、医療・ヘルスケア領域の取り組みをイメージする人が多いと思います。

しかし、そもそもバイオテクノロジーとは「Biology（生物学）」と「Technology（技術）」を合わせた言葉です。

医療分野に限らず、人も含めた動物、植物などさまざまな生物を研究することで、人類の生活や暮らし、ビジネスで役立つような技術を開発しよう、というものです。ですから農業分野での品種改良、食品分野では醸造発酵に関する研究や技術、化粧品、環境など幅広い分野で取り組まれています。

栄養価が高く、それでいて環境変化にも強い果物を生み出す、といった研究などもあります。新しい組み合わせを試すこともできますから、まるで本物のお肉のような、植物由来の人工肉を作る取り組みも、バイオテクノロジーの一環と言えます。

私がこれまで度々紹介してきた、大豆からお肉を作っているベンチャー、インポッシブル・フーズの取り組みなどはその代表例です。

エイズ、結核といった残る世界の三大感染症に対しても、マラリアと同じようにテクノロジーを使い、世界から根絶させるために取り組んでいる企業や財団は多くあります。

この先の未来では、これらすべての感染症がなくなる日が来るかもしれません。

【ロボティクス】名医の手腕を再現するＡＩ医療ロボット

デバイス面においては、ロボットがますます進化するでしょう。そもそも人の手は、どうしても多少震えたり、ブレる性質があります。ロボットがカバーすることで、より精度の高い手術を実現します。

ダヴィンチは特に有名で、導入している医療機関は世界中に広がり、世界での症例数は、1年あたり100万以上とも言われています。日本でも導入している医療機関が多く、国内での台数も570以上だそうです。

さらに、ここから先の未来では、ダヴィンチのような手術サポートロボットに、AIが実装されていきます。ダヴィンチで手術を進めながら、体内や患部の様子、詳細をカメラで撮影する。その画像を瞬時にAIが解析することで、アシスタント的に医師に助言を伝えるような世界です。

ディープラーニングで学習を施したAIモデルを使えば、人間の目では到底認識できないような各種疾患を、画像解析により検出できるでしょう。たとえば現在でも、胸部X線画像から病気を自動的に検出するための深層学習モデルが出てきています。

検出可能な疾患は、肺炎、肺がんなどの病変や骨折といった異常であり、ベテランの放射線科医でも難しい、X線画像からの適切な診断が高精度でできることが確認されています。

また、先にも紹介した**ロボ グローバルのダニエラ・ラス教授の発表**[*24]でも、機械学習システムにより、医療業界では手術の映像をＡＩが分析することで、血管が破裂する可能性を示すような、非常に小さな兆候を判別・指摘することができ、事前通知を外科医に与えれば、手術の品質が格段に向上する、と述べられています。

手術も含め、ＡＩが医療現場に浸透すれば、医師は簡単でルーティン的な業務はＡＩに任せ、難しいオペの部分に集中したり、より高度な業務に励むことができます。

実際、単純な縫合であれば、ロボットが自動でオペするようなことも将来的には可能になるでしょう。

一方で、特に難しいオペに向かう名医は、次から次へと変わる目の前の状況、患者のバイタルなどを多角的にこれまでの経験から判断して、指示はもちろん自らも手を動かしています。

そしてその情報の多くを、目から得ています。また医師一人ひとり、オペのスタイルや流れも異なります。

そのため、ＡＩがデータを学習したとしても、ましてやデータにない状況に遭遇するケースもあるでしょうから、現時点では実際にＡＩロボットが手術を行うのは、画像診断と同様、簡単な作業に限られると考えています。

ある意味、自動的に淡々と行うような、術後の縫合などです。自動運転の現在の状況に似ている要素があります。

ただし、これは現時点での予測ですから、この先テクノロジーがさらに進化すれば、すでにこの世を去ってしまった名医の技術をＡＩが学習し、ロボットに再現してもらう夢のような未来の実現も、十分あり得ると思います。

多忙かつ高度な判断が必要な緊急治療室などにおいて、人間を的確にサポートし、負荷を軽減し、最善のアウトプットを行うことに貢献するような、ＡＩアシスタントもあり得るでしょう。

一方で、より多くのデータを学習させることで、人間とのコミュニケーションの質なども含め、高めることができる可能性があります。すべての医師が、患者の意思を汲み取り、適切な言葉をかけるというコミュニケーションが上手なわけではありません。Ａ

Ｉの方がコミュニケーションの満足度が高い、という事例さえあります。

また、知識豊富なメンターやコーチがいる場合、人間は自信を持って仕事ができるため、まさに私が予測した名医の再現に近い、熟練のデジタルメンターとしてのＡＩアシスタントも考えられます。

【研究開発】ＡＩによりＩＰＳ細胞の培養期間が3分の1に短縮

オペ以外の、人命に直結しないような領域の作業や工程においても、ロボットやＡＩがより浸透していきます。それは研究施設で日々行われている培養などです。ＡＩが最適な条件を提示することで、熟練技術者よりも短期間で高品質の細胞が生成されます。

実際に取り組みも始まっています。理化学研究所の発表によれば、熟練技術者の経験が必要なＩＰＳ細胞の培養において、ＡＩによる最適化で期間が3分の1に短縮されたそうです。具体的には、人の両腕のようなアームを持つロボットとＡＩを組み合わせ、人のＩＰＳ細胞から目の網膜細胞を作り出す作業を、効率よくロボットが行う試みが行われています。

研究者が帰宅した後も、夜中に淡々とロボットが培養や再生細胞の製造を行う。製造業界の章で触れた、工場や倉庫が不夜城になるのと同様、研究機関もロボットとＡＩを活用して、24時間365日稼働するようなところが増える日が近いかもしれません。

【診断】スマホドクターが医師に代わり問診を行う

オペのような治療だけではなく、一般的な問診や診断においても、これから先の未来では医師に代わり、生成ＡＩがその役割の一部を担っていくでしょう。

これまでもヘルステックベンチャーなどが、スマホで患者の状態を問診するアプリを提供していました。国内ではUbie《ユビー》というスタートアップがあります。カメラを使うことで表情や顔色なども分かる、遠隔診療も進んできました。

しかし前者、アプリの場合はいわゆるチャットボットが決められた答え、パターン認識によりやり取りを行っているため、イエス・ノーの機械的な回答でした。これが、生成ＡＩにより、医師とするような自然なやり取りに進化します。

扱うデータ量も膨大に増えますから、より幅広い回答ができるようになります。

カメラを使った遠隔治療においても、これまではあくまで医師が介在し、医師主導の下で行われていました。

こちらもGPT-4の登場で、画像解析も瞬時に行えるようになりますから、自然言語処理機能と組み合わせることで、より医師に近い、それでいて幅広いデータに基づいた問診や診断が行えるようになります。言うなれば、スマホドクターです。

MITコンピューター科学・人工知能研究所のモニカ・アグラワル氏らが取り組んでいる研究[*25]によれば、GPTなどのLLMを膨大なデータの分析に利用することで、一定の成果が出たと発表しています。

患者の臨床所見が記された書類、つまり自然言語で書かれたデータの中から、どの内容が重要な数値・データであるか、LLMが抽出できるかの取り組みを行いました。アプローチは主に2つです。

1つ目は、事前にデータを学習させずに行う、ゼロショットラーニングによるアプローチ。もうひとつは、いくつかのヒントを学習させた上での抽出です。

両アプローチから、ChatGPTのような汎用的なＬＬＭは、数ショットの学習を行うだけで、的確に臨床情報を抽出できた──換言すれば、どちらのアプローチにおいても、従来の自然言語処理（ＮＬＰ）より結果が良かったと、結論づけています。

医師の行うべきことは、ＡＩが判断した診断内容や処置において、判断をくだす。遠隔でなくても構いません。外来で活用すれば病院で何十分、ときには何時間も待つようなことも、少なくなくなるのです。

たとえば、前処理──つまり、ＡＩが正しく診断できるように撮影画像の微調整を行う作業は人が担っていました。しかし、その前処理作業もＡＩが担うようになる。結果、レントゲン技師や医師などの負担が減るでしょう。

問診や治療ではなく、その前段階である予防においても、テクノロジーの進化により変化が訪れます。

金融業界の章でも少し触れましたが、ウェアラブルデバイスが進化することで、高血圧症や糖尿病、不整脈などを事前に察知し、改善するような未来です。

スマホドクター的なサービスも、あわせて登場しています。高血圧、NASH《ナッシュ》（非アルコール性脂肪肝炎）、ニコチン依存といった精神科、生活習慣病関連のアプリです。CureApp《キュア・アップ》という日本のベンチャーが提供しています。

心理的依存に関連しがちな、これらの生活習慣病の治療においては、これまでは診察時に医師から受けるアドバイスや投薬が主でした。

しかし、心理的依存を解消するためには、月に一度程度の医師からのアドバイスだけでは不十分であり、日々の行動や思考を変える必要がありました。

医師はその点についても、一部サポートをしていますが、毎日全患者に寄り添い、すべての時間帯の状況をチェックするような対応は、物理的にも時間的にも無理があります。そこを、アプリがサポートします。

スマホは、多くの人が24時間肌身離さず持っているデバイスですから、今日はしっかりと体を動かしたのか、お酒やタバコの量は適切であったか……など、日々患者と伴走するかたちで病の治療や予防を行っていく。そのような患者とのやり取りにおいて、生成ＡＩが活躍することは言うまでもありません。

定期検診で医療機関に行った際にも、これまでのデータを医師と共有することで、医師はより的確な診断ができるようになります。

バイタルデータを計測するのは、Apple Watchなどのデバイスに限りません。不動産の領域とも関連しますが、いわゆるスマートホームの概念に重なるからです。

たとえば、部屋に置いているイスやベッドにセンサーが搭載されている住宅です。

室内のカメラで、プライバシーに配慮しながら１日の行動を記録する。運動はしたのか、お風呂には入ったのか、食事はしっかりとったのか、など。調子が悪い時には、室内の照明を暗くしたり、寝つきがよくなるようにベッドを事前に温めておく。このような取り組みも可能になるでしょう。

健康を意識したスマートハウスの考えは、すでに大手不動産会社の飯田グループホールディングスと大阪公立大学が、２０２５年に開催される博覧会、大阪・関西万博に実際のパビリオンとして出展することが発表されています。つまりそれ以降に、社会実装されている可能性は十分にあるのです。

【病気予防】「Apple Watch」が命を救う

Apple Watchが実際に人命救助に貢献した、といったエピソードも数多くあるので、いくつかご紹介しましょう。多いのは転倒検出です。

アメリカで暮らしているAさんは、トイレで用を足していたところ、血圧が急激に低下したために、トイレ内で転倒。顔から床に倒れてしまいます。

しかしAさんは、Apple Watchを装着していたおかげで、Apple Watchの転倒検出機能が作動しました。

転倒を検知してから1分の間に動きがない場合には、自動でしかるべき先にSOSを発する仕組みで、Aさんはこのおかげで、救助されました。ちなみに、同じ建物内にいた友人は外部の助けが来るまで、Aさんが倒れていることに気づいていなかったそうです。

続いては、同じくアメリカ在住のBさんです。あるとき家でゆっくりとくつろいでいると、Apple Watchがアラートを発します。本人は特に異常を感じておらず、自覚症状はなかったそうですが、Apple Watchのモニターでは、心拍数が120以上あり、これはまずいということになりました。医療機関を受診すると、内出血が見つかりました。

Apple Watchに限らず、このようなバイタルデータを測定するウェアラブルデバイスは、グーグルやアマゾンも手がけています。「fitbit《フィットビット》」や「Amazon Halo《アマゾンヘイロー》」などです。

しかし現在では、アップルがマーケットで一歩抜きん出ている状況です。Amazon Haloは、現地時間2023年の4月にサポートを終了することを発表し、撤退となりました。医療業界でも、ハードウェアではアップルの強さが目立っています。

【投薬】センサー付きの薬が飲み忘れを防止

生活習慣病を防ぐスマホドクターに近いですが、高齢者の薬の飲み忘れは大きな問題となっています。

毎日、何時にどの薬を飲めばよいのか分かりやすくするために、薬をそれぞれ分けて入れる仕切り箱のようなものも出回っていますが、結局のところ本人が飲んだのかどうかを正確に判断することが、高齢者の健康を支援する方にとっては難しいのが実情です。

そこで、薬の中にセンサーを内蔵させることで、物理的に胃の中に入ったことを知らせる。このようなテクノロジーが登場しています。「アリピプラゾール」という成分名の、統合失調症の患者に向けた治療薬での取り組みです。

これは、胃の中に入った薬が胃液で溶けると、中に入っていたセンサーが胃液に反応して信号を発信する仕組みで、大塚製薬が世界初のデジタル薬「エビリファイ　マイサイト」として実用化を進めていました。

ただ、実用化が進むとの発表があった後の進み具合は、公表されていないようです。ここでも技術やアイデアは素晴らしかったけれど、社会に受け入れられなかった。そのような可能性は十分に考えられます。

先ほども紹介した**スタンフォード大学の2030年の未来の生活に関して検証した取り組み**[*26]では、臨床判断支援、患者のモニタリングとコーチング、手術や患者のケアを支援する自動機器、医療システムの管理など、ＡＩやテクノロジーを活用したこれらの取

世界初のデジタル薬「エビリファイ　マイサイト」

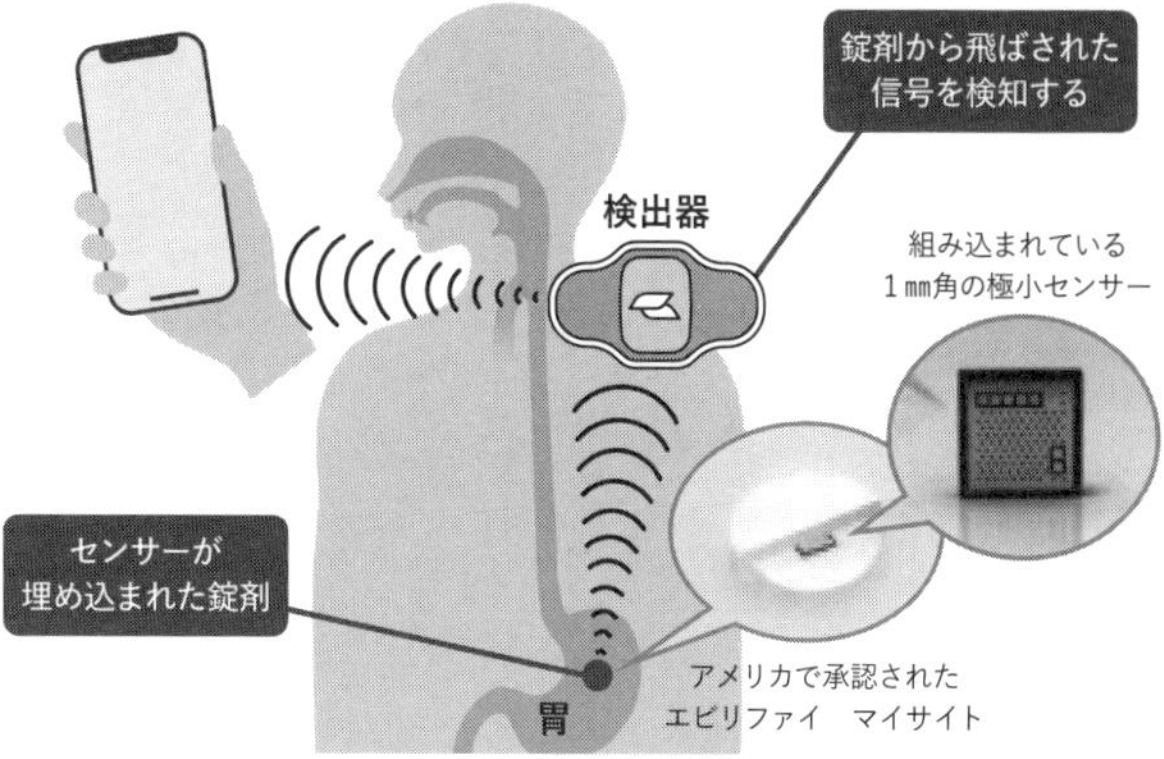

出典：（エビリファイ　マイサイトの画像のみ）大塚製薬株式会社

り組みにより、今後数年間で何百万人もの人々の健康状態と生活の質を改善する可能性がある、と論じています。

【脳】寝たきりだった人が歩けるようになるかも？

イーロン・マスク氏が取り組んでいるプロジェクト、「Neuralink《ニューラリンク》（以下、ニューラリンク）」が成功すれば、医療業界には大きな変動が訪れるでしょう。ニューラリンクは正式には、イーロン・マスク氏が設立した会社の名前です。

頭の中で考えたことを、コンピューターが自動的に汲み取り、実行してくれる。そのような研究開発を行っており、たとえば「テレビをつけて」と頭で念じるだけで、スイッチがオンになる。頭の中で練った構想などを、ドキュメントとして記述してくれる。そんなＳＦのような世界の実現を、イーロン・マスク氏らしく本気で目指しています。

ニューラリンクの取り組みは、２０１６年から始まっています。当初は試験対象が豚であったのが猿に代わり、直近の２０２２年11月の発表では、脊髄損傷者の歩行支援についての進捗が発表されました。

パーキンソン病など、神経系の病気に関する研究調査もあわせて行っています。たとえば、下半身が麻痺している人の脳から体への神経伝達はどうなっているのか、どのような不具合があるから、動かないのか。

このような原因を解明することで、これまで寝たきりだった人が歩けるようになる。そのような世界の実現を目指しています。

【眼】盲目だった人が人工の目により視力を取り戻す？

ニューラリンクでは、目が不自由な人の視覚支援に関する研究開発も行っています。人工の目を作り、目の機能を失ってしまった人に提供することで、視力を復活させるような取り組みです。

目の機能、目の前の物体が見える仕組みは、目の水晶体に入ってくる光の刺激を脳に伝えることで、物質や風景として認識します。

何らかの影響で、光を信号に置き換えることができなくなってしまった眼球の代わりに、カメラのような人工的な目を生成し、脳に正しく信号を伝えることができれば、視力は復活することになります。原理的には不可能ではない。夢物語ではありません。

ただし、実現されて、行き渡るのは相当先でしょう。

一方で、現在のテクノロジーを使って、目が不自由な人のサポートを行う取り組みも盛んです。たとえばステッキにカメラを搭載しておき、目の前にどのような物質が、どれくらいの距離にあるかを音声で伝えるようなデバイスです。いわばスマートステッキです。

ステッキではなく目の付近に装着すれば、それこそ距離感などは実際の視界により近づくでしょう。実際、同デバイスは本書を執筆中に放映している、俳優の福山雅治さんが全盲のＦＢＩ捜査官を演じているドラマ（日曜劇場『ラストマン―全盲の捜査官―』ＴＢＳ、２０２３年）でも、用いられています。

眼球ではなく、メガネ型のデバイスを研究開発している人たちもいます。シドニー大学と、ニューサウスウェールズ大学の研究チームです。彼らが開発した人工視覚システムが「Phoenix[99] Bionic Eye」です。

メガネ型のデバイスには小型カメラが搭載されており、眼球に刺激モジュールを、耳の後ろにも通信モジュールを埋め込むことで、カメラが撮影した画像を網膜の神経を通して脳に送り、視覚情報として認識させる仕組みです。すでに羊での生体実験は済んでおり、大きな問題はないことが確認されているようです。

**Mojo Visionが開発した
コンタクトレンズ型のARデバイス「Mojo Lens」**

出典：Mojo Vision

視覚支援とは少し異なりますが、アメリカのMojo Vision《モジョ・ビジョン》というベンチャーは、コンタクトレンズ型のＡＲデバイス「Mojo Lens」を開発。２０２０年の１月に発表しています。

Mojo Lensは、コンタクトレンズの上に直径約０・５㎜の超小型のマイクロＬＥＤディスプレイ、無線通信、超小型カメラ、視線トラッキング、加速度センサー、電池など多数の機能を搭載しており、視線のみであらゆる操作が行えます。

現在は、資金不足により商品化を事実上断念し、別事業への転換が試みられているようですが、こういった夢のようなデバイスも、テクノロジーが進歩すれば開発することができるという、1つのいい例だと言えるでしょう。

ハッタリや空想ではなく夢は実現するためにある

突飛な言動も含め、賛否両論あるイーロン・マスク氏ですが、すごいといえるのは、一般の人にはまるで夢物語で、到底実現しそうもないと思えることを、本気で実現しようと考え、アクションを起こしていることです。だからこそ、1年に一度は成果を発表する。

そしてここからが特筆すべきですが、エンドユーザーやメディアにとっては特段、興味を引くような伝え方ではなく、専門家や科学者に向けた、かなりニッチで専門的な内容を意図的に発表していることです。これはニューラリンクに限らず、テスラやスペースXでも同様です。

その結果、その領域で働きたい、もっと先進的な技術や研究に取り組みたい、そのような強い思いを持つ技術者や科学者が、続々とイーロン・マスク氏の下に集まってくるのです。

もうひとつつけ加えるとすれば、これはスペースXやテスラでの実績にも関係していますが、イーロン・マスク氏の下で研究を行っていれば、夢だと思われていたことが実現するのではないか。

そのような期待、希望、ワクワク感を多くの人が覚えることです。単なる未来予測ではなく、自分で切り拓き、実現できそうだと実感できる。そして優秀な技術者が続々と集まることで、夢の実現はさらに真実味を帯びていく。

まさに、プラスのスパイラルと言えるでしょう。ベンチャーのなかで、構想段階でイーロン・マスク氏のように、壮大な夢を語る経営者は少なくありません。

しかし、イーロン・マスク氏と大きく異なるのは、見ている先が少し先の上場など、企業の成長で、そのための資金集めのためにピッチ、デモンストレーションに偏りすぎである点です。

一方、イーロン・マスク氏が行っているのは、前人未踏のイノベーションです。本書では、何度かビル・ゲイツ氏が、これから先の未来を創造していくであろう技術や研究開発に、資金を提供していることを紹介しました。このような出資者は、単にリターンを求めているのではなく、人類の進歩に貢献することが主な目的です。

ビル・ゲイツ氏やイーロン・マスク氏。特にイーロン・マスク氏は、9人もの子どもの父親でもありますから、火星への移住計画もハッタリでも何でもなく、本気で人類の繁栄を考えての行動だと私は見ています。

そんな彼だからこそ、現状はうまくいっていない不老不死や長寿といった研究においても、不可能だと思われていた他の取り組みに次々と挑戦していっているように、いつか、実現するのではないかという期待感が醸成されています。

先述した**MITの研究チームが、各業界への自動化技術導入についてのこれまでの取り組み、特に雇用をテーマとして行った調査**[*27]によれば、デジタル技術の採用により、ヘルスケア業界では、今後15年間で1420億〜3710億ドルものお金が節約されると推定されているそうです。

現場以外の、財務や管理、コンプライアンス、請求書作成、医療情報、サプライチェーン管理といった裏方、バックヤードの事務的業務。こちらも同じくＡＩなどを活用し自動化を進めることで、これまで人が行っていた業務の50～60％が、ＲＰＡ（Robotic Process Automation：これまで人間のみが対応可能と想定されていた作業やより高度な作業を、自動化できるソフトウェアロボット技術のこと）に置き換えられると推定されている、と論じています。

第6章

教育業界

画一的な集団教育から個別指導型にシフト

誰もが好きなことを好きなタイミングで学べる

これまでの学校教育は、地域により差はありますが、先生1人が生徒40〜50人ほどに対して、画一的に教える集団授業が一般的でした。その科目に苦手意識を覚え、他の生徒よりも少し後れを取る生徒に対しても、しっかりとフォローをする。誰も置いていかない、みんなで学力を高めよう。そのような方針であったと思います。

しかしこれから先は、このような集団教育は付加価値が限定的になっていくでしょう。逆に台頭してくるのが、デジタルや人工知能を活用した1on1などの個別指導型です。個別指導型の教育は、すでに塾や予備校では浸透していますから、学習の一部では、学校と塾や家庭教師といった教育の境目がさらになくなっていきます。

もっと言えば、小中高といった区分や、40人を一塊にしたようなクラスも、段々と必要なくなってくるでしょう。

すでに問題になっていますが、たとえばプログラミング。必修にはなりましたが、スキルを伴う先生がほとんどいません。そのため、子どもたちにプログラミングスキルが身についているかというと、まだ改善の余地があると思われます。英語教育においては、英語と日本語を一対一に訳すのではなく、話せる技術が重要にもかかわらず、十分な実用性がないことに似ています。

一方で、学校以外に目を向ければ、最前線で活躍するエンジニアはもちろん、趣味でプログラミングを行い、それでいながら高いスキルを持つ人たちは大勢います。

このようなプログラミングスキルの高い人たちが、YouTubeやSNSなどを使って、しっかりとしたプログラミングスキルが身につく情報を、場合によっては無料で提供しています。

プログラミングに限らず、他の学問でも同様です。ある分野に特化した講演や授業などは、全国各地で開かれている例も見られます。

また、このような流れは日本国内に限りません。インターネットを使えば、海外の優秀な先生から授業を受けることは十分可能だからです。そして教える側には、他のコンテンツと同様、レビューや口コミで評価が示されていくでしょう。

その結果、次のような未来が実現するのではないでしょうか。

自分に苦手な科目があった。その領域で教えるのが上手な先生を、グローバルで見つける。その中からレビューが高かったり、口コミを見て自分と合いそうな先生を探し出し、教わる。

もうひとつ、指導者がいくら教えるスキルが優れている方でも、100人授業を受けたら、100人全員が満足する、スキルアップできるわけではありません。なぜなら、相性があるからです。

スポーツのコーチはいい例です。一流選手のコーチは、おそらくどの方も相当優秀でしょう。ですが、選手によって最適なコーチは異なりますし、活動時期によって変えたりもしています。

勉強もまったく同じです。この先生から教わると楽しい。モチベーションやテンションが上がる。早く、次の授業を受けたくなる。このような考えが重要であり、学習能力を高めるのに必要な要素でもあります。

日本ではどうしても、「勉強＝苦痛」といったイメージがありますが、本来、新しいことを学ぶ勉強、学問は楽しいものであり、エンタメ的なものに昇華する可能性を秘めています。大学を出たあとも、時代は変化し続け、結局こまめに自発的に一生勉強し続けることが人生に意味・意義を見出せます。そのポイントが、誰が教えるか、誰から学ぶのか、なのです。

実際、すでにこのような学びができる環境も整いつつあります。ハーバード大学やスタンフォード大学では、Zoomを活用したオンラインプログラム、エグゼクティブ層を対象にしたビジネススクールを展開しています。

ただ受講者の属性を見ると、日本人はほとんどいません。韓国人や中国人、インド人、アラブ人といった人たちの姿が目立ちます。

スタンフォード大学では、日本の中学・高校に該当するオンラインスクールを2006年から開校しており、こちらも生徒の大半、約8割はアメリカ人であり、日本在住の生徒は10名ほどに留まっています。

学校だけでなく一般企業も同様のコンテンツ、サービスを提供しています。オンライン学習プラットフォームのUdemy《ユーデミー》は有名ですが、グーグルも「Grow with Google」というサービスを展開しており、グーグルがこれまで培ってきたデジタルスキルを学ぶことができます。

国内や海外に留まらない、と先ほど説明しました。もっと言えば、目の前の講師が人であるかどうかも、関係なくなるでしょう。

エンターテインメント業界の章で紹介したように、先生が必ずしも生身の人である必要はないからです。アバターでも構いませんし、そもそも物理的な対象がなくたっていい。生成ＡＩがテキストで対応すればよいからです。

アバター先生の取り組みも、すでに始まっています。ドリームエデュケーションという企業が、小中高の生徒向けに提供しているオンライン家庭教師サービス「まなぶてらす」です。ユニト先生というアバターが講義を行います。

アバター先生の投入開始が２０１９年ということもあり、仕組みとしては裏で人が生徒とやり取りしており、内実はアナログ的なものです。

しかし、昨今の生成ＡＩのテクノロジーの進化を考えれば、中身が人から生成ＡＩに置き換わる。そのような未来は十分考えられます。

最適な先生やコンテンツをAIがマッチング

先ほども少し触れましたが、これから先の未来では自分にマッチする先生を、口コミやレビューを参考にしながら見つけていくことになるでしょう。実際Udemyでは、講師ならびにコンテンツが評価される仕組みがすでに導入されています。

中にはAIの研究者であり実業家、スタンフォード大学の教授でもある優秀な人物が、機械学習のプログラムを開催していたりもします。アンドリュー・ン氏という方ですが、彼自身が優秀なのはもちろん、指導もうまく、大学でもUdemyでも高い評価を得ています。

ただ現状のマッチングは、授業を受けたい人がレビューや授業の構成、講師のキャリアなどを見ながら、自分で判断して行っています。これから先の未来では、このマッチングもテクノロジーにより、最適化されていくことでしょう。

ここで説明したマッチング・最適化とは、いわゆる婚活、マッチングアプリのようなイメージです。住んでいる地域や趣味嗜好、学歴、職種、勉強したい時間帯、これまで受講したコンテンツなどを入力してもらうことで、最適な先生やコンテンツを提供することは、テクノロジー的には不可能ではありません。

仮に、提示された先生やコンテンツが合わなかったとしたら、その理由をフィードバックすることで、より最適なマッチングが行われます。


さらに私が考えているのは、各人によりコンテンツの内容を最適化する世界です。

たとえば、私が書いているこの書籍。若手ビジネスパーソンをコアターゲットとしていますが、小学生のようなより若い層が読んだっていい。

その場合には、小学生でも分かるような文章のトーンに、ChatGPTなどを介することで、最適化するようなイメージです。関西出身の方などには、音声で読み上げた関西弁の方が頭に入ってきやすいこともあるでしょう。

文章よりも音声で学ぶ方が分かりやすい。最近はこのような声もよく聞きますから、テキストではなく音声に。そこでも対象が小学生なのか、それとも大人なのかで、声の質やトーンを適宜変える。このような未来を、私はイメージしています。

ケンブリッジ大学のジェス・ホイットルストーン氏、サム・クラーク氏が発表した論文、「AI Challenges for Society and Ethics」[※28]でも、ＡＩの恩恵として、教育のオーダーメイド化（個人最適化）を挙げています。

授業はオン・オフがミックスしたハイブリッド型に

一方で、すべての授業がオンラインになるかというと、そうではありません。実際コロナ禍により、一時期はオンラインでの授業がほとんどになりましたが、現在ではフィジカル、以前のような学校で対面で行う授業に戻りつつあります。

授業に限らず仕事でも同様で、特に日本は以前と変わらない状態に戻っている、戻したいとの傾向が強いように思います。もちろん対面、リアルで授業を行うことのメリットもあります。

お互いの表情がより正確に把握できますし、コミュニケーションのやり取りでも、同時に発話が難しいオンラインに比べ、情報量が圧倒的に増えるからです。新しいアイデアを出したりディスカッションするような授業では、逆にオフラインの方が効果が高いと言えるでしょう。

しかし、オフラインでは物理的な限界がありますから、たとえば地球の裏側の最適な先生から教わることはできません。

このようなことから、オン・オフ両方のいいとこ取りをしていく、ハイブリッド教育がこれから先は一般的になっていくと思いますし、アメリカではすでにその傾向が見られます。

小中高の区分やクラスもいずれ必要なくなる

好きな先生だけでなく、学ぶべき項目や内容においても、各人が好きなことを好きなように学ぶようになる探究がさらに重視されていくでしょう。

たとえば、数学がとても得意、あるいは物理が大好きという高校1年生がいたとします。本人は集団授業の内容だけでは満足せず、もっと先の高度な内容を学びたいと思っていました。

でも、現在の教育制度ではできない。とても勿体ないことだと思いますし、せっかくの才能の可能性を摘み取ってしまう。機会損失だと思えます。そこで、クラスや学年という概念、制度をより柔軟にすればいいのです。

生徒一人ひとりが自分が学びたい、興味を持っている学習を大学生のように、小学生から選べるようにするのです。もちろん最低限の科目は必要です。試験などの工夫が必要ですが、大学での学びに近いといえるでしょう。韓国の公立高校では、すでに導入されています。

一方で、好きだけれど思ったよりもスキルが乏しかった、あるいは単に背伸びをしている。そのようなことも十分考えられますから、先生は一人ひとりの生徒の様子や学習の状況を把握し、そこをサポートしてあげればいい。あるいは最適な先生を紹介するなどといった役割を担ってもいいでしょう。

皆が好きなことを自発的に学んでいますから、宿題もなるべく少なくします。受け身になってしまうような授業のために、わざわざ行くよりは、体育や予習した内容でディスカッションなどの積極的に行う授業のために、リアルに登校するイメージです。

東大生や京大生、ノーベル受賞者など、各界の著名人や優秀な人材がこぞって称賛する数学の専門誌『大学への数学』は素晴らしいコンテンツであり、取り組みだと思います。

同誌は、その名こそ受験対応だけの出版物に思えますが、受験に限らず、数学の魅力を存分に味わえる内容、構成となっています。

特に、後半に収録されている数学者からの「宿題」コーナーでは、入試とは直接関係なくとも、長時間考えさせられるような数学の問題が出され、エレガントな解答をした上位者はそれが紹介されます。そのため、全国の数学好きがこぞって愛読、挑戦しています。

数学好きな子どもたちが、毎号楽しみにしている。どうしたら、今月の難問を解くことができるのか。自分の解答はどのような評価がされたのか。入賞した他の読者の解答を見て、さらなる学びを得ることもできます。

KADOKAWAとドワンゴが、2016年から開校しているN高も、未来を先取りした取り組みです。2021年からはさらに、テクノロジーをより活用したS高も設立されています。このような学校、学びのスタイルも今後は活用されていくことでしょう。

才能ある若者が正しく評価、成長できる

これまで紹介してきたような学びのスタイルが浸透していけば、自分と同じような価値観や趣向を持つ仲間、ライバルと若いころから出会うようにもなります。前項で取り上げた『大学への数学』はいい例です。

同誌を通じたコミュニティが形成されており、数学好きという共通の価値観で年代問わず楽しく議論したり、ときには一緒になって、難題に取り組むようなことができるからです。そして、このようなコミュニティに参加することで、各人のモチベーションはさらに高まる。世の中には上には上がいることを知る、いい機会とも言えます。

ましてやグローバルであれば、それこそ日本は平均して優秀な人が多い傾向にありますが、アメリカなどには飛び抜けた天才的な若者が集まっていたりもします。そのような天才を生み出しているのも、楽しみながら好きな学問を、好きなように取り組める環境があってこそでしょう。

日本の優秀な若者も、そのような海外の天才から大いに刺激を受け、もっともっと世界レベルの優秀な人材に成長してもらいたい。その素養は、十分にあります。

一方で、このような話をすると勉強が嫌いな子、学力が乏しい子はどうするのか？といった議論も起きるでしょう。

先のマッチングの話の続きになりますが、私自身、これまでいろいろな所で学んできました。その経験から、先生との相性は、非常に重要な要素だと実感しています。それこそ先生との相性がよくなかったために、不得意科目になることがあったからです。

これは私に限らず、私のまわりの友人も同様でした。「数学の先生が嫌いだったから、数学も嫌いになった」。よく聞くエピソードです。もしかしたらその子は、相性のいい先生に教わっていたら、数学の秘めた才能を開花させていたかもしれません。

ダイヤの原石のような才能を持つ若者が、たまたま相性のよくない先生から授業を受けたばっかりに、未来をダメにしてしまった。非常に勿体ないことであり、国としても大きな損失と言えるでしょう。できるかぎり相性のよい先生に教わって駄目ならしょうがない、というぐらいの工夫が必要になります。

学校選びも同様です。優秀な人材なのに、地方在住というだけで地域の優秀な国立大学に進学するのがよし、という風潮は以前はありました。もちろん、地方の国立大学にも優秀な大学はあります。しかし、世界的に難易度が高い大学だからといって、授業が難しいというのは誤解であり、逆に、分かりやすいように工夫がされているケースが大半です。

ハーバード大学やスタンフォード大学は、いい例です。ですから自分は勉強ができない、大した大学に進学できない。そのように諦めてしまう前に、好きな学問や学びたい領域があるのであれば、その分野で自分に世界で一番マッチした指導者を、とにかく探し続けてみることをおすすめします。

大学選びも同様です。偏差値という簡略化されすぎた指標にとらわれることなく、相性も考えて、自分が本気で学びたいことに本気で取り組んでいる大学を志望するのです。

意外と知られていないことですが、ハーバード大学は特に学力だけを問われることはなく、自分が何をしたいのか、何ができるのかといったことが、入学試験での評価基準の一つとなっています。志願者の珍しさも重要なので、周りに受ける人がいない方が逆にチャンスを手にすることもあります。

最後にもうひとつ。これは教育業界に限らず、あらゆる業界で懸念、話題に上がるテーマですが、ＡＩが浸透した未来の世界では、教師など教育に携わる人たちの仕事が奪われるのではないか、と主張する人も一定数いるでしょう。ですが、私はそうは思いません。これまで繰り返し述べてきたように、ＡＩを活用して別の役割を担うようになると考えているからです。

ここでは、**スタンフォード大学の人間中心ＡＩ研究所の発表**[*29]も参考になります。

ピーター・ノーヴィグ氏によれば、教育におけるＡＩテクノロジーは、人間を排除しようとするものではなく、人間を中心に据え、有効性を高める各種ツールを提供するものである、と強調しています。

具体的な例も示しています。生徒の学習の進み具合の記録、得意・不得意の分析と把握、個別サポート、学業成績の予測、テストの採点など、ＡＩは教師のタスクを自動化する。その上で、自分の強みに集中できるようにすることが重要だと論じています。

コミュニケーションの上達とコンピューターサイエンスの学習

日本の教育は、優秀だと言われる高校や大学に進学するために、入学試験を通過することが目的になっているケースが大半です。

しかし、本来の教育の目的というのは、学校の先にあります。つまり、社会に出てから活躍できる人材を育成することのはずです。

そこでここからは、すでにお伝えしてきたメッセージとも重複しますが、私から皆さんに、どのような領域をどんな風に学ぶべきか、メッセージを贈りたいと思います。

改めて、これまで紹介したように教育業界においても、大きな地殻変動が起きています。端的に言えば、従来の教育というのは、正解があるという前提で考え、答える。つまり、テストに合格することが目的だったのです。そしてその正解を、先生が教えるのがスタンダードでした。

しかし、ChatGPTのような生成ＡＩテクノロジーが次々と登場してきた現在では、試験の簡単な問いは、ＡＩが答えてくれるようになります。その結果、正解はそもそも何なのか、その上でどのような教育をすべきか、このようなより現実的な問いを考える時代に入っていきます。

ニューヨーク大学の初の分校として、２０１０年にアブダビ政府の１００％出資を受け設立されたニューヨーク大学アブダビ校。開校直後から、世界中から優秀な学生や学者を集め教育を行っている、いま話題の大学のひとつでもあります。

このアブダビ**大学のハゼム・イブラヒム氏、ファンユエン・リウ氏が、教育におけるAIのパフォーマンスを、ChatGPTを使って測りました。**[*30] 具体的には、実験、宿題、課題、クイズ、試験といった各領域から、テキストベースの質問をランダムに10個選択し、解答精度を検証したものです。

発表された論文によれば、認知能力に関わる問題の平均点が、ChatGPTが7・5点であったのに対し、人が7・9点で、その差はわずかであったと報告しています。


教育業界における大変動は、これまでも起きていました。

1つ目の変化は、グーグルなどの検索テクノロジーの台頭です。インターネット、検索が登場したことにより、それまでは多くの情報を正しく暗記している人が優秀、正解という世界の常識が変わりました。

そして今回、2回目の変化では、文章の要約や答えを導き出すことは、ChatGPTなどの生成ＡＩでできるようになった。その結果、人に求められるのは、出てきた解答が正しいかどうか、正しい場合であった際には、その結果を踏まえてどのような議論、結論が導き出せるかというスキルです。

前置きが長くなりましたが、つまり、これから先の社会やビジネスでは、コミュニケーション能力がこれまで以上に重要だということです。

具体的には、ChatGPTが出した答えを、分かりやすく相手に伝える。間違っている場合には、どのような理由で間違っているのか、ロジカルに答えることができる。

学校を卒業してからアカデミックな業界に残る人は、1割もいないでしょう。つまり、大半の人たちが社会に出ていくわけですから、コミュニケーション能力が大学以上に重要な要素になります。

そして残念なことに、このような議論をしたり、自分の意見をしっかりと主張したりする能力は、日本人はグローバルで比べると経験が不足しています。

NHKのテレビ番組（『ハーバード白熱教室』、2010年）に、哲学者、政治学者、倫理学者であり、ハーバード大学の教授も務めるマイケル・サンデル氏が登場し、日本、中国、アメリカ、イギリスの大学生を相手に、「正義とはなんぞや」といった問いを投げました。

これぞまさに、正解がない問いです。海外の大学生がディベートを繰り返し、結論を模索していく中で、日本の大学生はなかなか議論を主導できない。

しかし、これからの社会で求められているのは、このような場で積極的に意見できる能力なのです。

ロシアとウクライナの問題。脱炭素社会の実現なども、正解があるようで実際は何が正しいのか、誰も完璧な答えを持たないのが実情です。求められているのは、ググって出てくる答えではないからです。

ただ、このような日本人に不足していると思われる英語での議論も、ChatGPTのような生成ＡＩを活用すれば、コミュニケーション能力を鍛えることができます。

ChatGPT相手に、たとえば脱炭素について議論を重ねればよいからです。

ChatGPTのアカウントをいくつか用意し、研究者、ビジネスパーソン、一般の市民といった具合に設定し、それぞれの属性に見合った意見を交換することもできます。そのようなやり取りを繰り返すことで、自分の論点や意見はどこがずれているのか、学習に使えます。

もうひとつは、コンピューターサイエンスです。コンピューターサイエンスとは、AIや情報処理、プログラミング、データ分析といった全般の学問です。端的に説明すればコンピューターを使って何ができるか、成し遂げたいことのためにはこれらの技術をどのように活用すればよいのかを学び、スキルを身につけていきます。

アメリカではコンピューターサイエンスが出てくるとすぐに、これからの未来には必要不可欠だと、教育に組み込まれてきました。日本でもコンピューターサイエンスも含め、STEM《ステム》教育（科学〈Science〉、技術〈Technology〉、工学〈Engineering〉、数学〈Mathematics〉の4つの教育分野を総称した言葉）などが注目されていますが、アメリカに比べるとまだ弱いと感じています。

世界ではアメリカと同様に、コンピューターサイエンスを勉強せずに、これから先の社会で一体何を勉強するのか？　そのような風潮が広がりつつあります。そのため、理系に関する学びや学部が増えているのも最近の傾向でもあります。

実際、**HAIの調査報告書**[*31]によれば、コンピューターサイエンスに関する試験を受験するアメリカの学生数は、過去14年間で約9倍になり、ベルギー、中国、韓国など11カ国でも、幼稚園〜高校教育向けのAIカリキュラムを公式に承認し、実施していると報告しています。

大学で理系学部が増えているのは、卒業後の就職先に大きく関係するからでしょう。給与面でも条件がよいのが一般的な印象です。こちらも同じく、**ＨＡＩで詳細なデータが発表されています**[*32]が、一昔前はアカデミックな機関で必要されていたＡＩのスキルが、現在は産業界にシフトしています。

具体的には、ＡＩの専門知識を必要とする求人は、農業、林業、漁業、狩猟を除くほぼすべての産業分野で広まっており、求人数も年々増加していると、報告されています。

日本でも、データサイエンス学部を設けるなどの動きが見られますが、まだまだ変革が進むでしょう。

もっと根幹の話をすれば、文系・理系といった区分は廃止すべきでしょう。現代においては、文系の領域、たとえば法律においても、コンピューターサイエンスを理解していなければ、実社会の問題を扱い活躍する人材になることは、難しいからです。

ここでも、ＨＡＩの調査報告書のデータが参考になります。１２７カ国の立法記録を分析したところ、法律として成立した人工知能関連法案の数は、２０１６年の１件から、

2022年には37件に増加。さらに、81カ国の議会記録におけるAIに関する言及は、2016年と比べ、約6・5倍に増加しているそうです。

つまり、政治家にとってもAIの理解が必要になってきているのです。

日本ではよく、数学が苦手だから文系に進むという声を聞きますが、それこそ悪手だと私は思います。数学が苦手だと、AIの原理を根底から理解することが難しくなるからです。それは現在の社会、ビジネスの課題から逃げることと同じになります。

そういった意味合いからも、早稲田大学の政経学部が、数学を受験の必須科目にしたのは、ある意味思いやりのある取り組みだと言えるでしょう。

私は文系だから、数学やコンピューターサイエンスを学ぶ必要はない。それを学ばずとも成功した人を知っている。もしこのような考えを持っている人がいたら、聞く人が偏っていたり、未来を過去の単純な延長と誤解をしてしまっています。この先キャリアを積んでいく中で、相当な苦労が待ち構えているでしょう。

大企業のトップがＡＩなど、最先端テクノロジーについて学ぶのが当たり前に

コンピューターサイエンスを学ぶ対象は、若者や学生に限りません。社会人、大企業の経営層も同様です。

新しいテクノロジーが登場することにより、社会の構造は変化します。スマホ、ChatGPTなどがいい例です。企業、ビジネスはそのような社会の構造変化に見合った、これから先、起こり得るであろう未来を予測して、アクションを起こすことが求められます。

そして先述したとおり、一見するとテクノロジーとは関係のないように見える業界であっても、現代社会においてそんなことはあり得ません。

もうひとつ大切なことがあります。人の能力は、常に進化させる、アップデートしていく必要があることです。

アマゾンの経営方針でよく言及されている内容ですが、何かを決める際、現在のケイパビリティ、つまり能力で決めてはならない。実現したい事柄に対して、可能なスキル

を持つ人材が社内にいなければ、外から迎え入れる。

あるいは、自ら常にスキルアップする必要があると自覚する。そしてテクノロジーは、変化のサイクルが非常に速い。だからこそ学び続ける必要があるのです。

実際、世界をリードする企業ではこのような考え、動きが当たり前です。

たとえばグーグルのトップ、サンダー・ピチャイ氏。技術畑出身ではありますが、AIの専門家ではありませんでした。

AIに詳しい社内のエンジニアや社外の専門家から話を聞いたり、場合によっては教育を受けたりするなど、常に学び続けているわけです。

ピチャイ氏に限らず、他のエンタープライズ企業の重役も、海外ではエグゼクティブ教育と呼ばれる、大学院が開催する重役向けのビジネススクールのコースに通うのが一般的です。それは50歳を過ぎた人であっても、です。

そして今であれば、ビジネスに直結する生成AIについて学んでいることでしょう。

2週間ほどのプログラムで、高いものであると数百万円という金額ですから、一見すると安くはありません。

しかし大企業にとっては、数百万円かけて学びを得たことで、将来利益が数百億円アップすれば、まったくもって安い投資です。
グローバルではこのような考え方が浸透しており、日本とは大きく異なります。実際、これらのプログラムでは日本人、特に重役の姿はほとんど見られません。

学び直し、リスキリングは、エンタープライズ企業の経営層に限ったことではありません。こちらはエクステンションスクール、日本語に訳せば生涯学習といった内容で、社会人全般を対象に、ハーバード大学やスタンフォード大学が提供しています。

時間はかかりますが、学位を取ることもできます。ここでも先述したように、各人が学びたいことを、学びたいときに好きな場所で学ぶ。そのようなことが実践できる制度や仕組みは、実はすでに整っているのです。

そして特筆すべきは、一般のビジネスパーソン向けのプログラムでも、ＡＩの専門家としてグーグルで働いているような、バリバリ現役のエンジニアが教壇に立ったりもします。

そのため基礎的な内容だけでなく、今まさにビジネスの最前線でＡＩがどのように活用されているかなどを、リアルなエピソードと共に学ぶことができるのです。

対して、日本ではどうでしょう。社会人が学べるビジネススクールの数がそもそも少ないですし、あったとしてもテクノロジー領域がとても弱い。というより、先の学校教育の問題にも重なりますが、テクノロジーの中でも、特にコンピューターサイエンスやデータサイエンスを教えることのできる人材が少ないという厳しい状況です。

仮に、テクノロジーを学べるビジネススクールがあったとしても、世界のコンピューターサイエンティストやエンジニアなどからすると、かなり遅れた内容が教えられているのが現状です。

これはアカデミックな領域の話だけに限りません。企業でも同様です。日系企業の多くは経営層が文系卒、ファイナンスなどに強い人物でかためられている特徴、歴史があります。コンピューターサイエンスなど、テクノロジーをしっかりと理解している人が少ない。そのため、時代にマッチした意思決定やビジネスができないでいるのです。

現在では、小学生に向けたプログラミング学習が始まっています。

しかし本当に必要なのは、ご紹介したような最先端のテクノロジーを誰でも、いつでも、どこでも学べる環境を整備することです。

世界に目を向ければ先述したように、テクノロジーを活用して自分にマッチする、最適なコンピューターサイエンスの先生を探すことができます。しかも、楽しみながら最先端のテクノロジーを学ぶことができる。皆さんにもぜひとも実践してもらえれば、と思います。

おわりに

自分自身で考えるクセをつけることが大切

これから先の未来について、本書のような予測書やメディアを参考にすることはもちろん大切ですが、あくまで著者や、ビジネスにおいては素人のメディアが手がけた未来予測であって、100%当たる保証などまったくありません。変化、パラダイムシフトがいつ起こるかも、正直誰も予測することはできません。

一方で、現在のビジネスはテクノロジー抜きには語れない、と繰り返してきました。つまり、ビジネスの未来も完全には予測不能だということです。実際、iPhoneがここまで社会に浸透することを、20年前に誰が予想したでしょうか。

マスメディアに代わり、YouTubeなどのインターネットメディアが、ここまで台頭したのも同様です。

自動運転、ロケットの再利用、まるで人のように受け答えしてくれるＡＩ。メディアでは著名だと言われる評論家や学者などが、これらのトピックについて専門家のように語っている姿が多く見られますが、テクノロジーを活用したビジネスの経歴がなければ、的外れな意見になりがちです。

経営、ビジネスは生き物であり、これからどのような動きをするのか、現場を経験しなければ分かりにくいからです。

しかし、だからこそ自分でどんな未来になるのかを、現在のトレンド、特にテクノロジーの動向を学ぶことで、自分なりの予測、仮説を用意しておく。

このようなクセをつけ、訓練を習慣化しておくことが重要であり、本書を読んでくださった読者の方には、ぜひとも実践してもらいたいと思っています。

とはいえ、テクノロジーは本書でも紹介したように、多様な領域があります。そこでおすすめするのが、各領域のきちんとした専門家と親しくなっておくことです。定期的にコミュニケーションをとり、最新の情報について議論する。単に、教えてもらうだけでは相手の迷惑なので、自分から提供できる情報も用意しなければなりません。その上で、自分なりの未来予測を考えるのです。

本音で語り合える間柄でないと意味がありませんから、ビジネスで上下の立場があったり、妙なバイアスが働くような相手は避けた方がいいでしょう。学生時代の仲間、会社外のコミュニティなどで知り合った、それぞれの領域の専門家をあたってみるのもいいかもしれません。

新しい情報を聞いて、議論する際にはかしこまった場ではなく、カジュアルな場所、たとえば気軽な居酒屋などをおすすめします。お互いがフェアな立場に自然となる場であり、気軽に本音でトークできるからです。

もうひとつ、1つの領域で、できれば1人ではなく3人以上の人と交流を持つことをおすすめします。その領域の専門家であっても、目の前の事象に対する考えや未来予測は、異なるケースが大半だからです。お互いを敵視している場合さえあります。違う視点を知ることによって、思考をさらに充実させることができます。

未来予測に加えて重要なのは、自分が予測したものが、正しかったかどうかを検証することです。得た情報も踏まえ、どのような根拠を元に、その予測を出したのか。あっていた場合も間違っていた場合も、確認します。そうすると、次からはどう直せばいいかが分かってくるはずです。

そういった意味でも、未来予測と近しい思考になりますが、どんな事象、シーンにおいても、自分の立場や意思は一旦明確にしておく。そのクセをつけておくことが大切です。仮説を常に立てておく、とも言えるでしょう。

私はベンチャー投資をしていることもあり、テクノロジー軸における判断が一つ重要な要素になります。常に仮説、未来をイメージしています。そしてその判断に基づき、投資を行っています。ただし、それだけ考えて絞り込んだ10社に投資しても、思ったような成長、リターンを得られるのは1社ほどというのがよくある話です。

ですが、1社の予測が当たれば、十分なリターンがあるのがベンチャー投資です。未来予測の精度は、野球の打率よりぐんと低くても、十分価値があるのです。

けれども、常に予測は立てています。予測も立てずに、後出しじゃんけん的な感じで見解を述べるような評論家、専門家とは大きく異なります。

だからこそ、本書を手に取ってくださった方には、間違っていても構わないので、仮説を常に立てるクセを身につけてもらいたい。必ずや、いつかは分かりませんが、ビジネスパーソンとして他者との差別化になるからです。

たとえば、この本のトピックについて自分の仮説を作り、あっている、間違っていると検証する。そのトレーニングをするところから、始めてもいいでしょう。

引き算思考で世界を俯瞰する

未来予測をする際に、私が意識していることがありますので、皆さんにもお伝えしたいと思います。ある新規テクノロジーの開発や投資案件があるとして、それに参加しているメンバーの顔ぶれです。誤解してほしくないのは、参加者の面子を見て判断するのではないことです。

その逆、本来であればその領域のキープレイヤーなのに、参加していない企業や人たちの存在に気を配るのです。

たとえば、メタバースでのエンターテインメントでは、世界にヒット作を出し続ける任天堂はメタバースの波には参加しませんでした。日本の多くの伝統的な大企業やＶＣなどが積極的に投資しているにもかかわらず、です。本当に事情が分かっている人は誰なのか、その人は不必要に意見を表明することもないので、参加しているかどうかを注意深く見る必要があります。Web3においても同様です。

いま大盛り上がりしているChatGPTも同じです。テレビ、雑誌、インターネットニュースなどでも、トピックを聞かない日はないほど旬なキーワードであり、テクノロジーです。本文でも紹介しましたが、政府も動いています。

日本でも大企業が利用し始めるなど、一見するとこれから着実に社会に浸透する技術だと、誰もが思っていることでしょう。ChatGPTの専門家という人たちも、大勢意見を発しています。

ChatGPTは、これから先のキーとなるテクノロジーだと、現時点では私も思っています。

ただ常に、どのような専門家や企業が参入しているのか。有力だと思われるプレイヤーの理系研究バックグラウンドなど、ChatGPTをどのように語るか。きちんとロジックが成り立っているかを注目しています。

キャリアをチェックする上で大切なのは、いわゆるピカピカの学歴がすべてではないことです。スティーブ・ジョブズ氏はいい例です。

日本人は特に、有名もしくはピカピカのキャリアでなくとも、日本語を話す外国人の意見に弱く、信じてしまう傾向があります。知名度より、中身を吟味し、しっかりと自分なりの意見を持つクセを、身につけてもらいたいと思います。


最後に、私なりに注目している企業や人物を紹介します。企業では、ソニーと日立製作所。7000億円以上の赤字というどん底にあった会社を、見事にV字回復させた、川村隆氏も注目すべき人物です。

川村氏が日立製作所の回復劇を綴ると同時に、ビジネスパーソンの心得を説いている著書『ザ・ラストマン―日立グループのV字回復を導いた「やり抜く力」』(KADOKAWA、2015年)は、日本企業に勤めている人は必読の一冊だと思います。未来を予測すること、評論ではなく実行することの重要性など、私が本書で紹介している内容と重なる意見も多く見られます。

そのほかの人物では、本書でも度々登場した、イーロン・マスク氏、ビル・ゲイツ氏。投資会社バークシャー・ハサウェイを経営するウォーレン・バフェット氏ならびに、チャーリー・マンガー氏。JPモルガンのトップを務める、ジェイミー・ダイモン氏などの発言は、常に注目しています。

彼らの言葉を聞いていて思うことは、これだけの実績を持つ方々であっても間違ったことを言うことはあるし、意見が度々変わることもある、ということです。

たとえばダイモン氏は、ビットコインに対する姿勢が何度も変わっていたりします。しかし大切なことは、常に冷静に見続けていること。自分なりの意見を持っていることです。

この先テクノロジーがいくら進化したとしても、人の仕事がなくなることはないでしょう。テクノロジーを活用した人がさらにスキルアップしていく。

逆に、活用できていない人が不利になっていく。そのような二極化した社会になると思います。すでに既存の枠組みが崩れ始めている感覚もありますが、ひとつの会社で長く勤めるような働き方も大きく変わっていくでしょう。

会社、組織という枠組みは、この先の未来でもなくなることはないと思いますが、優秀な人材であればあるほど、受け身での給料ではなく、成果報酬を求める働き方をするようになり、一つの会社でおさまるよりも、さまざまな会社のプロジェクトを、いくつも抱えるような世界です。

正社員は安定、という概念もなくなっていることでしょう。

そうした未来で生き残るためにも、ぜひとも本書を参考に、テクノロジーを学び、自分なりの未来を予測する。仮説を振り返る。このサイクルを繰り返すことで、これから先もさらに激動が続くであろうビジネスや社会を乗り越える際に、皆さんにとってこの本が一助になれば幸いです。

山本康正

2023年8月

建設的な感想などがございましたら、
上記QRコードからお寄せいただけますと幸いです。

＊27　前掲。注9に同じ

〈第6章〉

＊28　Whittlestone, J., & Clarke, S. (2022). AI Challenges for Society and Ethics. 1-14. DOI: https://doi.org/10.48550/arXiv.2206.11068

＊29　Stanford Institute for Human-Centered Artificial Intelligence. (2022). Education and AI. Stanford Institute for Human-Centered Artificial Intelligence, 2-10.

＊30　Ibrahim, H., Liu, F., Asim, R., Battu, B., Benabderrahmane, S., Alhafni, B., Zaki, Y. et al. (2023). Perception, performance, and detectability of conversational artificial intelligence across 32 university courses. 1-17. DOI: https://doi.org/10.48550/arXiv.2305.13934

＊31　前掲。注2に同じ

＊32　前掲。注2に同じ

C., & Anandkumar, A. (2023). VoxFormer: Sparse Voxel Transformer for Camera-based 3D Semantic Scene Completion. 1-9. DOI: https://doi.org/10.48550/arXiv.2302.12251
＊18 前掲。注16に同じ
＊19 Venverloo, T., Duarte, F., Benson, T., Leoni, P., Hoogendoorn, S., & Ratt, C. (2023). Tracking stolen bikes in Amsterdam. Massachusetts Institute of Technology. 1-19. DOI: https://doi.org/10.1371/journal.pone.0279906
＊20 Noever, D., Noever, E. M. S. (2023). The Multimodal And Modular AI Chef: Complex Recipe Generation From Imagery. 1-20. DOI: https://doi.org/10.48550/arXiv.2304.02016
＊21 Stone, P., Brooks, R., Brynjolfsson, E., Calo, R., Etzioni, O., Hager, G., Hirschberg, J., Kalyanakrishnan, S., Kamar, E., Kraus, S., Leyton-Brown, K., Parkes, D., Press, W., Saxenian, A. A., Shah, J., Tambe, M., & Teller, A. (2016). Artificial intelligence And life in 2030. Stanford University, 4-41. DOI:10.48550/arXiv.2211.06318
＊22 Degrave, J., Felici, F., Buchli, J., Neunert, M., Tracey, B., Carpanese, F., Riedmiller, M. et al. (2022). Magnetic control of tokamak plasmas through deep reinforcement learning. Nature 602, 414-419. DOI: https://doi.org/10.1038/s41586-021-04301-9

〈第４章〉

＊23 Yazdani, M., & Raissi, M. (2023). Real Estate Property Valuation using Self-Supervised Vision Transformers. 1-22. DOI: https://doi.org/10.48550/arXiv.2302.00117

〈第５章〉

＊24 前掲。注14に同じ
＊25 Agrawal, M., Hegselmann, S., Lang, H., Kim, Y., & Sontag, D. (2022). Large Language Models are Few-Shot Clinical Information Extractors. 1-26. DOI: https://doi.org/10.48550/arXiv.2205.12689
＊26 前掲。注21に同じ

(accessed 2023-06-22).

〈第２章〉

＊9 Autor, D., Mindell, D., & Reynolds, E. (2020). The Work of the Future: Building Better Jobs in an Age of Intelligent Machines. MIT Task Force on the Work of the Future, 35-40.

＊10 Brynjolfsson, E., Li, D., & Raymond, R. L. (2023). Generative AI at Work. National Bureau of Economic Research, Working Paper31161, 1-22. DOI: 10.3386/w31161

＊11 Kost, D. (2023). Is Amazon a Retailer, a Tech Firm, or a Media Company? How AI Can Help Investors Decide. Harvard Business School. https://hbswk.hbs.edu/item/is-amazon-retailer-tech-firm-media-company-how-ai-can-help-investors-decide (accessed 2023-06-22).

＊12 Nakamoto, S. (2008). Bitcoin: A Peer-to-Peer Electronic Cash System. 1-9.

＊13 Kaniel, R., Lin, Z., Pelger, M., & Nieuwerburgh, S. V. (2022). Machine-Learning the Skill of Mutual Fund Managers. National Bureau of Economic Research, Working Paper29723, 1-57. DOI: 10.3386/w29723

〈第３章〉

＊14 Capron, J., & Daniela Rus (2020). The Future of Robotics & AI Investing: A Q&A with MIT's Daniela Rus. ROBO GLobal. https://insights.roboglobal.com/the-future-of-robotics-ai-investing-a-qa-with-mits-daniela-rus (accessed 2023-06-22).

＊15 Arute, F., Arya, K., Babbush, R., Bacon, D., Bardin, J. C., Barends, R., Martinis, J. M. et al. (2019). Quantum supremacy using a programmable superconducting processor. Nature 574, 505-510. DOI: https://doi.org/10.1038/s41586-019-1666-5

＊16 Leonard, J. J., Mindell, D. A., & Stayton, E. L. (2020). Autonomous Vehicles, Mobility, and Employment Policy: The Roads Ahead. MIT Work of the Future. 2-23.

＊17 Li, Y., Yu, Z., Choy, C., Xiao, C., Alvarez, J. M., Fidler, S., Feng,

巻末注

〈**第１章**〉

＊1　Vaswani, A., Shazeer, N., Parmar, N., Uszkoreit, J., Jones, L., Gomez, A. N., Kaiser, Ł., & Polosukhin, I. (2017). Attention Is All You Need. 31st Conference on Neural Information Processing Systems (NIPS 2017), 1-10. DOI: https://doi.org/10.48550/arXiv.1706.03762

＊2　Maslej, N., Fattorini, L., Brynjolfsson, E., Etchemendy, J., Ligett, K., Lyons, T., Manyika, J., Ngo, H., Niebles, J. C., Parli, V., Shoham, Y., Wald, R., Clark, J., & Perrault, R. (2023). The AI Index 2023 Annual Report, AI Index Steering Committee, Institute for Human-Centered AI, Stanford University, 2-19.

＊3　前掲。注２に同じ

＊4　Gerdeman, D. (2019). It's No Joke: AI Beats Humans at Making You Laugh. Harvard Business School. https://hbswk.hbs.edu/item/it-s-no-joke-ai-beats-humans-at-making-you-laugh (accessed 2023-06-22).

＊5　Sudhakaran, S., González-Duque, M., Glanois, C., Freiberger, M., Najarro, E., & Risi, S. (2023). MarioGPT: Open-Ended Text2Level Generation through Large Language Models. 1-10. DOI: https://doi.org/10.48550/arXiv.2302.05981

＊6　Huang, S., Grady, P., & GPT-3. (2022). Generative AI: A Creative New World. Sequoia Capital. https://www.sequoiacap.com/article/generative-ai-a-creative-new-world/ (accessed 2023-06-22).

＊7　Nader, K., Toprac, P., Scott, S., & Baker, S. (2022). Public understanding of artificial intelligence through entertainment media. AI & Society. Ann Arbor, MI: Inter-university Consortium for Political and Social Research, 1-14. DOI: https://doi.org/10.1007/s00146-022-01427-w

＊8　Senz, K. (2023). Is AI Coming for Your Job? Harvard Business School. https://hbswk.hbs.edu/item/is-ai-coming-for-your-job

著者略歴
山本康正（やまもと・やすまさ）
東京大学で修士号取得後、三菱東京UFJ銀行（当時）の米州本部に勤務。ハーバード大学大学院で理学修士号を取得。修士課程修了後グーグルに入社し、フィンテックや人工知能（AI）ほかで日本企業のデジタル活用を推進。日米のリーダー間にネットワークを構築するプログラム「US-Japan Leadership program」フェローなどを経て、自身がベンチャー投資家でありながら、日本企業へのアドバイスなども行う。京都大学経営管理大学院客員教授も務める。著書に『次のテクノロジーで世界はどう変わるのか』（講談社）、『シリコンバレーのVC=ベンチャーキャピタリストは何を見ているのか』（東洋経済新報社）、『2025年を制覇する破壊的企業』『銀行を淘汰する破壊的企業』（どちらも小社刊）がある。最新著書は『アフターChatGPT 生成AIが変えた世界の生き残り方』（PHPビジネス新書）。

SB新書 629

世界最高峰《せかいさいこうほう》の研究者《けんきゅうしゃ》たちが 予測《よそく》する未来《みらい》

2023年9月15日 初版第1刷発行

著　　者　山本康正《やまもとやすまさ》
発 行 者　小川 淳
発 行 所　SBクリエイティブ株式会社
〒106-0032 東京都港区六本木2-4-5
電話：03-5549-1201（営業部）

装　　丁
本文デザイン　杉山健太郎

D T P
目次・章扉　株式会社ローヤル企画

編集協力　杉山忠義
校　　正　有限会社あかえんぴつ
印刷・製本　大日本印刷株式会社

本書をお読みになったご意見・ご感想を下記URL、
または左記QRコードよりお寄せください。
https://isbn2.sbcr.jp/22343/

落丁本、乱丁本は小社営業部にてお取り替えいたします。定価はカバーに記載されております。
本書の内容に関するご質問等は、小社学芸書籍編集部まで必ず書面にて
ご連絡いただきますようお願いいたします。

ISBN 978-4-8156-2234-3